# 我们的庸常生活

张畅

——

著

北京联合出版公司
Beijing United Publishing Co.,Ltd.

新经典文化股份有限公司
www.readinglife.com
出　品

这才知道我的全部努力，

不过完成了普通的生活。

——穆旦

# 目录

无人知晓的旅途

我一路小跑，抵达渔人码头时，差点踢翻街头歌手盛放钱币的黑礼帽。大巴车司机见我抱着旅行包在路边跳脚，不情愿地打开车门，肥大的肚子抵住方向盘。他费力地歪过脖子，用港式英语告诉我，还有半小时才能上车，然后冷漠地关上门。

　　从我所在的大学到这里费了不少工夫。原本从帕罗奥图乘加州火车到旧金山只要四十分钟，还有靠窗的座位看风景，一幢幢低层的小洋房像摊煎饼一样紧贴在草丛里，附近街区的黑人小孩在破败的砖桥底下涂鸦，见火车经过就竖起中指。偏偏赶上周日，火车少了几个班次，早早出门，在车站的烈日底下傻坐了一小时才发觉，只能狠心叫一辆出租车，车费贵得吓人。

　　一切迹象表明，这一趟本不该来。

　　码头一如既往地热闹，空气里有海草和咖啡混合的气味。渡轮经过时留下长长的鸣笛，和远处海豹的嚎叫声融为一体。海鸥缩起脖子立在桥头，偶尔啄一啄游人留下的三明治残渣，然后伸长翅膀飘到路灯的灯柱顶上。一个手臂粗壮的男人浑身涂满青铜色，站成一座雕塑。被黑色面具遮住半张脸的女人，一只铆钉靴踏在白油漆桶边上，边弹吉他边唱席琳·迪翁的歌。整条手臂纹有青色花纹的人在亲吻一个学生模样的男孩，男孩的牛仔裤腰卡在臀部，露出网格状的深蓝色内裤。卡丁车队从上个街口开过来，车手们个个都戴着不合尺寸的巨大头盔，头盔上印有炫目的彩虹旗。这里的每个人都是自在的，连横卧在海边木板上的海豹都是。经过码头边的一家手工冰激凌店，阳光射进玻璃窗，映出一个背着硕大旅行包、神色疲惫的中年女人，画着不合时宜的红嘴唇，因为缺乏睡眠眼袋发青。一个金色头发的女孩在窗边坐下，朝我露出礼节性的微笑，我迅速逃离。

本不该来。要不是从国内一同搭乘飞机过来的冯姐张罗，我也不会报这么个旅行团。"反正要回国了，趁最后这十天，好好玩玩，不白来。"见我没反应，她扯着我的衣服央求，"就算是陪你冯姐，好不好？"临行前两天，我接起冯姐的电话，她带着哭腔对我说，丈夫打越洋电话和她大吵一架，说她明明访学结束了，还不肯回家。"他吼我，说孩子放暑假了，我妈不肯带，他还要去上班，说我和我妈一样，只顾自己，心里没这个家……"电话里，冯姐颤抖的声音像一架坏掉的手风琴，我不由得从脸上挪开聒噪的手机。芝麻大的事，说着说着就严重了，严重到活不下去，严重到必须即刻妥协，无疑是变老的征兆。冯姐长我七岁，每天往脸上涂抹十几种护肤品，面膜、美容仪、面部刮痧、补水器一件不落。人哪，越是费尽心思抵抗衰老，就越是偷偷往那里去，这一点我俩都心照不宣。

我放下电话，又打电话给旅行社。女孩轻声说一口中式英语：尊敬的贵宾您好，很高兴为您服务。听说要退团，她改用中文，四川口音的音调忽地抬高到半山腰：开团前三天不能退费！想好再退撒！

大巴车车门前陆续聚集起人群，多半是弓背猫腰，双手插兜，一个贴紧另一个，生怕后来的插进来。我上车走到最后一排，选了靠窗的位子，把旅行包举到头顶的行李架，坐下。前排的年轻情侣眉飞色舞地交谈着，右侧是一对沉默的白发老夫妻，前面有个小猴一样萧瘦的小男孩在大叫，妈妈捂住他的嘴。我尽量将脸贴向车窗，掩盖自己形单影只的事实。

"把头靠在我肩膀上。"前排的男孩对女孩说，女孩照做了。

新婚那两年，我和晓东就是这么照顾彼此的。一起旅行，拍好看的照片，煞有介事地挂在墙上；一起做环游世界的梦，走路时冷不丁对着烟花大喊；一起起早去公园跑步；领养一条被遗弃的狗；夜里走上很远的路找一家通宵营业的烧烤店；过生日时为对方插蜡烛，笑着看对方许愿。人人都说我们幸福，说着说着好像就成了真。

男孩在偷偷地嗅女孩的头顶，眼角透出喜悦。座位差不多坐满了，只有我身边的座位还空着。我摘下眼镜，揉了揉鼻梁，头靠在窗边，闭上眼睛。

婚后的第四年还是第五年，我们好像突然领会了什么，不再那么热闹了，或许是年龄到了，或许两个人在一起久了，本就容易乏味。虽然还和从前一样，上班前拥抱，睡前亲吻彼此说晚安，周末手挽手逛商场，翻菜单挑爱吃的外卖，为对方点亮生日蜡烛。但在对方闭上眼许愿时，却不再微笑着注视，而是迫切地等着结束。我们不再打理照片墙，不再去小孩子到处疯跑的公园，不再漫无目的地做梦。

第五个结婚纪念日，我俩笑眯眯地坐在事先预订的西餐厅，预订的位置，例行公事地等着上菜。

"我问你，你觉不觉得'婚姻'这个词的发音有点……"他吞吞吐吐地问。

"嗯？发音怎么了？"我在拍桌上的玫瑰花和烛光，很适合发到朋友圈。

"Hē wēn——婚——姻——"尾音拖得老长，他看上去神色严肃，"好像什么东西被困住了，粘牢了，对，就像小时候捣过的蜘蛛网，上面的飞虫在蹬腿。"他眼睛放光，可能是找到了恰当的比喻。"'婚——姻'读起来还不如'死——亡'爽快。"

手机停在半空。那顿饭吃得索然无味。

来 S 校做访问学者，根本动机就源于那顿饭。饭后，婆婆打来电话，寒暄几句后问起了孩子。是，不小了。嗯，五年了。时间过得真快。记住了，叶酸和维生素 B，最好是 B 族。锻炼身体，少吃外卖，知道了。工作不累。好，放心，妈。

当学校网站首页贴出访问学者的申请表时，我眼睛都没眨一下就填好提交。回家象征性地征询意见时，访学细则的邮件已经躺在了邮箱里。我对他们说，只要有这一年的经历就能评上副教授，接下来就是优青和教授，前途大好。见他们不为所动，互使眼色，我补了句：回来就生孩子，三十五岁之前。

访学和副教授的位置无关，无非只是一种逃避的手段。避开那张蜘蛛网，不想做一只蹬腿的飞虫，还有逃避生育的"任务"，逃避被一桩桩琐事缠身、不得不负重前行的命运。晓东或许是对的，婚姻就是如此漫长而迟滞。

亲妈也催。"可是，妈，我还有很多事没来得及做。"我告诉她，我要为一个国际艺术展做顾问和翻译，要完成一篇关于现代艺术的会议论文，然后去纽约大学做论文报告，还要学日语，年底和一位大师级的日本艺术家在深圳合作办展。

"乖，这些事做是做不完的。"她并不感觉兴奋，反而重重拍了拍我的肩膀，眼神黯淡。"你毕竟是个女孩子。"她说。

我想起读书时，她对我要求严格，每道题、每张考卷、每份作业、每次考试，她都叫我不要轻易放过。她教会我勇往直前，别迷信平庸的魔咒，把我拉到镜子前告诉我：容貌是给人看的，学识和修养属于自己。她不止一次对我说，志气很重要，别听他们胡扯，女孩不输给男孩。

"可是妈……"

"没有那么多可是，记住喽，乖，女人可等不起。"

如果他们要的只是结婚，怀孕，生子，买房，拿到大城市的户口，买车，排到不错的公立医院、公立幼儿园，为什么当初铆着劲儿让我卖力读书，为几分的成绩争得头破血流，不惜贷款送我去读名牌大学，通过几轮面试、试讲、测评才进了一所不错的大学教书？学那么多知识，看遍花花世界，最终还是逃不过"女人做了母亲才算完整"的宿命？

"乖，有了孩子的那种幸福，你现在体会不到。有了，你就懂了。"我们母女俩的谈话通常这样结尾。生养我时，母亲被我日夜不停的哭声折磨得神经衰弱，头发白了一茬儿，抱我抱得腰间盘突出、腱鞘炎复发。她像是生生被我给熬干了，一圈圈瘦下去。到头来却说自己幸福。

我没告诉她真实原因。生不生孩子和志气无关，和是否选择继续幸福无关，只是不确定对方是不是对的那个人。

麦克风嗞嗞啦啦地响，有人拍了拍它。"欢迎各位加入光明鸟旅行社的北美之行，请各位准备好护照和确认信。我们五分钟后出发。"

那人走近时，我疑心自己看错了，重新戴上眼镜，他的脸才清晰起来。原先的卷发不见了，头发向后梳，在头顶系了个小小的丸子，脸黑瘦了很多，颧骨更加凸出，络腮胡勾勒出下巴的棱角，嘴角右下方的痣还在。方小舒，是他。

他接过我的护照，翻到贴照片的那页，用别人听不见的音量说了句：没什么变化。食指蹭了蹭鼻梁上的一颗小痣。话不多，和以前一样。多瞟了一眼，他手指上没有戒指。

认识他时，我十六岁，他十五岁。

他从讲台旁边的"特困生"专座抱着书包走向我，本子散了一地，整个教室都在窃窃私语。从此我们成了同桌。那个留着寸头、鼻涕长流、校服松垮的邋遢鬼。如果时光倒流，让我看一眼自己的脸，一定是面目狰狞。

他不写作业，上课不好好听讲，被老师点到名字也没反应。"方小舒"三个字像卡带后的磁带，在耳边一遍遍响不迭。"方小舒，把头抬起来！""方小舒，把课本拿出来！""方小舒，你来我办公室一趟。"

被叫到时，他缓缓抬起头，一脸茫然地望向前方，如同置身事外的高人。

"方小舒，上课呢，你低头忙什么呢！你旁边坐着的可是年级第一！你也不学学！"班主任训他的时候，总喜欢捎带上我。

是的，我是第一名，从来没失过手。那时的我，不知道哪里来的倔牛脾气，不考第一绝不善罢甘休。无论题目是难是易，里面藏有多少狡诈的陷阱，我总能一一攻克，杀个片甲不留。因为稳操胜券，我甚至不屑于看成绩单，因为第一行的名字总是我。

而我永远不理解，也不关心坐在身边的方小舒在桌子底下摆弄些什么，只是偶尔看他入神，在好奇心的驱使下瞄一眼。在堆满练习册和考试卷的桌子底下，方小舒用牙签组装成一辆坦克，用一分一分的人民币折出一艘航母，用一百张考卷做成一架步枪。在我们都一门心思奋战高考时，他耸起肩膀，伏在桌沿，用自制的放大镜一寸一寸盯着那张世界地图看。

"有什么好看的？"我看见他上半身都扑在地图上，像一只潜伏在海底的虾。

"里面的学问大着呢，不懂了吧？"他话不多，尾音总是轻巧地带过，说话时依旧望着地图，脸上带着神秘的微笑。

那时我沉浸在第一名的争夺战中，并将它视作骄傲的资本。不仅要弄懂一道题目的解法，还要再想出十种解法来解；不仅要背出要求背诵的课文，还要翻出三篇类似的文章背好。我把那些英文单词背得滚瓜烂熟，还自学了高三的教材。只要是能拿第一名的事，我豁出去也要做。那时的我，丝毫不在意方小舒嘴里说的"大学问"。那和我的目标相距十万八千里。

车开了。渔人码头、海鸥、街头艺人在后退。方小舒走过来，我抬头盯着他，等他说些什么，他没看我，念念有词：二七、二八、二九。独自带几十个人的大团，从西部到中部走上七天，没那么容易吧。我垂下头装睡。

"下面我们会驱车经过金门大桥，金门大桥全长约二点七千米，是世界上最大的单孔吊桥之一，每天约有十万辆汽车从桥上通过。朱红色的桥身时常被海面上的雾气笼罩，是闻名世界的一景——'雾锁金门'。如果今天我们运气够好，说不定能看见它的全貌。"

方导，车上的人都这么叫他，被叫到的时候，有短暂的几秒钟，他茫然地望向前方，和当年的神情类似，然后趁人未察觉时露出职业的微笑。一位上海来的阿姨穿着橘红色的长摆裙坐在他身后，时不时高声叨念："啊哦哟，多标准的小伙子，个头高，模样嘛也蛮好。有女朋友不啦？"车里的人都笑了。他不答话，笑滋滋地关掉麦克风，脸转向别处。

"喏，你看。这里是美国西海岸，旧金山金门大桥，洛杉矶好莱坞就在这儿。这里是加州首府萨克拉门托。你知道黄石吗？那里有个老忠实喷泉。"一次，期末考试失利，成绩单的第一行不再是我了。方小舒指着地图上一块黄色区域，手指在上面精准地滑动。我脸上都是眼泪鼻涕，抬起头狼狈地望向他。

他的眼睛里闪着从未有过的光。我哭肿的眼睛看见他在笑，这才发觉之前从来没有正眼看过他。他的睫毛上翘，毛茸茸的，上扬的嘴角旁嵌着两颗酒窝，白皙的面颊此刻红彤彤的。

"世界很大的，你能到达的地方不只是这儿。"他指了指教室前面的黑板，叠好地图，放进书桌最下方，一副任何人都碰不得的架势。

不知为什么，过了这么多年，想起这段无关紧要的对话，仍有一股暖流从喉咙轻轻滑过。眼前的这个男人，靠在扶手上和司机说话，个头足有一米九，手臂上的肌肉撑起了白T恤衫的袖口，除了嘴角那颗痣，没有一点像记忆里的那个方小舒。

我从不记得他口才这么好，能一口气说这么久，也不太敢相信他变得这么受欢迎。上学时，任课老师因为他答不上问题朝他大喊大叫，为他把班级平均分拉低而气急败坏，提到他的名字就直翻白眼，对他束手无策。连班里那些在操场上疯跑、下课后泡网吧的男孩，聚在一起讨论女孩身材的男孩，也没把他放在眼里。不管我拿多少次第一名，捧回多少奖杯奖状，他在我身边永远都是老样子，弓着背躲在书桌下面，像潜伏在海底的虾。对了，我还见过他母亲，看上去十分疲累的短发女人，面色煞白，身上有洗衣粉的气味。她在家长会结束后心急火燎地冲向我，拽住我的手腕，叫我不要那么自私，也帮一帮她不成器的儿子。救救他。她说的是这三个字。

被救的人，应该是我。

一连三天，大巴车驶离旧金山之后，沿蛇河峡谷和肖松尼瀑布一路向东，车窗外，黄澄澄的沙漠绵延无际。晴空烈日，偶尔闪现的草地也因为缺水而泛着土黄色，橙红色的风蚀柱偶尔滑过车窗外，像在大漠深处等我的人。

一个人的旅行并没有那么不堪忍受，因为冯姐的退出，我一个人享受五星级豪华大床房，用一整瓶玫瑰精油泡澡，浴室不用锁门，夜里不必担心同屋的呼噜声。同行的男孩妈妈听说我是一个人报团，眼睛瞪得像铜铃，像不小心撞见了上个世纪穿越而来的怪物。她那个猴儿一样的儿子跳来蹦去，频繁敲我的房门，今天洗澡不出热水不知道怎么调，明天忘记了第二天的集合时间，后天衣服弄脏了想打电话叫酒店服务生拿去洗。和我同龄的妈妈一边称赞我英语说得溜，一边偷偷瞄我，似乎想打量出他们是否缓解了我的落寞。

娘俩的好心并没有必要。窗外频繁更换的风景，一大车互不相识的人，足以让我比从前更自在。每个清晨，天气总是晴好，吃完早餐，背包放在头顶，坐进固定的位子，空出身旁的座位，内心像即将升空的热气球，被一股火焰点燃。等沙哑的嗓音从麦克风传来，车里的人声慢慢淡去、消失，独属于我的无人知晓的旅途才刚刚开始。

车子奔驰在开阔静谧的原野，盘旋在崎岖的山路上，停在半路废弃的加油站，而后又悠然启程。我假想他转过身时，只对我，对我一个人，讲那些峡谷、山脉、河流、蜿蜒起伏的地貌、人类征服原始土地的恢宏历史。

但大多时候，他只是斜靠着座椅，露出半张脸，面无表情地讲着。只有一次，大巴车开了五六个小时，即将驶入黄石公园时，他起身指着右侧车窗外一处小到几乎看不见的瀑布，语调升高："这个瀑布，一年只有这几天有水，好多游客专门从世界各地赶来拍它，错过了可就看不到了。"一车人睡眼惺忪地爬起来，蜂拥过去，手机对准反光的车窗推搡着拍照。他回过身，在人群缝隙中和我眨了眨眼。我俩都笑了。

他竟成了一名导游，而我是他的游客。

那天放学后，他就像这次一样，毫无征兆地出现，书包拉链敞开，崭新的书本有一半露在外面，校服裤脚踩在球鞋底下。

"方小舒，你家多远？"

"不远，过七八趟街就到了。"

"你爸妈呢？也在家吗？"

"我爸？鬼知道他长什么样！"

我停下脚步，偷偷瞄了他一眼，他满不在乎的样子，头微微上扬。

"你以后想做什么？"忘了对话的起因，我问他。

"你先说。"他侧过脸。

"我还没想好呢，你先说吧。"除了考试升学，我还没想过第二条可走的路。

"我想做间谍。"他站在街角，往来穿梭的车辆似乎安静下来。夕阳照在他脸上，他的头发在阳光下闪着金光，耳朵的轮廓是透明的。

"出生入死，泰然处之。"他一字一顿地说。那一刻，空气和时间仿佛凝结了，只剩下让我不解的方小舒站在人群密集的街角，运动服上沾满尘土。

但方小舒毕业后当了兵。同学聚会，他从城郊的部队驻地赶来，不再弓着背，脏兮兮的校服换成了利落笔挺的绿色军装。他无疑成了人群中最耀眼的那个。当年骂过他的老师，捏着鼻子从他身旁经过的女同学，不理会他的男同学，将他围在中间，嬉闹，拍照，扯他的肩章，拍他后背，个个像相熟多年的老朋友。他笔直地站在那里，微笑着任人拍打，一脸好脾气。

他说部队不让喝酒，却依然被灌得一塌糊涂。人群散去。精心打扮的女生把和他的合照发到了 QQ 群，几个发胖的男生聚在饭店门口抽烟，聊股票、创业和赚钱。他脚步迟缓地经过，见我站在路口等车，停下来拍了拍我的头顶。路灯底下，他眼眶泛红，头发发亮，整个人看上去湿漉漉的。

我永远都忘不了他接下来说的话，没有前言，没有后语，当空坠落。

他说："如果以后咱俩还能见面，不如就在一起吧。"

月亮是牛奶一样的白色。


盘山路开到一半，车子猛地停了下来，司机愤怒地用英语喊：妈的！没油了！一车人伸长了脖子。他没理会，向我摆手，示意我过去。我经过一双双狐疑的眼走向他。他攥紧我的手，从车上跳下。他没命地跑，我跟跄地跟在后面，鞋子跑掉了，手始终没松开。霎时间，四周的盘山公路变成一片茫茫黄沙，天地不见，身后的大巴车不知去向。他也消失了。

惊醒后，从脖子到后背湿透了，我靠在床头上缓神。床头柜上的闹钟显示时间是 4：45。距离集合时间还有两个小时。打开床头灯，调暗，再睡不着。他还会记得吗？就算记得，也无所谓了吧。再怎么异想天开，也不会傻到因为一次偶遇，就和一个十多年没见的人谈论未来。

我拉开窗帘一角，远山之上微微渗出天光，除了这栋酒店的高楼，天空中什么都没有。我和这天空一样，从内到外都是空荡荡的。晓东这个时间应该刚下班，怕是又在和客户喝酒应酬。上次在家，也是同一时间惊醒，翻了个身，他没在。用手机拨了四五次，不接，再拨，那头有个女人在笑。我冲着电话大吼大叫，像个疯子一样穿上羽绒服，裹紧围巾冲进大雪。饭店都关了门，他单位附近的几家夜总会和KTV还在营业，我不管不顾地冲进每个包房，声音发颤地喊他名字。两三个小时之后，等我精疲力尽地回到家，抖掉围巾上的雪，他趴在床上打着呼噜，鞋还在脚上，雪水和泥水从床边滴落，一屋子酒气。没被捉奸在床，也没有喝倒在路边冻死。我双腿一软，嘴里荡开苦涩的咸味。

没人会傻到质问那是谁。日子过到那一步，怕是没有挽回的余地了。我们俩都保持沉默，在吵架的边缘小心试探。像小孩子，大人遮住脸，以为你消失了，再移开双手，他就以为你回来了，咯咯直笑。我那时每天想象自己是个小孩，遮住，消失，移开，回来。如此反反复复，什么都没变。

方小舒的出现，好像一双大手遮住我的脸，让我暂时忘却原先的生活。每个早晨背上背包，墨镜卡进头发里，对站在车门口的他轻轻说一声：早。又是崭新的一天，身体里又有某种期待等着被填满。

我希望这趟无人知晓的旅途漫长无际，就这样一天一天走下去，永不停歇，永不返程。

回去是无意义的。我又将在每个学期的起始自信满满，以为能创造点什么，能教会他们不一样的东西，甚至想象他们离开大学后能想起我和我说过的话。我设计课程，打印好课程安排装订成册，阅读书目附在最后。我将教案温习了一遍又一遍，穿戴整齐，准备好课件，等他们来。进门的却是一个个耷拉着脑袋、趿拉着拖鞋、连本书也不带的男孩女孩。大拇指在手机屏幕上来回滑动，神色厌倦；对着电脑玩枪战游戏，鼠标按得噼啪直响；做社团活动的海报；睡觉，打鼾；情侣在教室后排接吻。他们的满不在乎如一记重锤砸进我的皮肉，我像是一个被付了酬劳而不得不卖力表演的小丑。

这种满不在乎多半会在最后一次考试和交论文之前戛然而止，他们发来的邮件塞满我的邮箱，他们在办公室门口等待，在通往食堂的小路上围追堵截，接过我手里的大衣，替我开门，昼夜不停给我发短信，央求我给他们及格。他们要保研，要出国，要一个美好的未来，而这个未来不能断送在我手里。他们被拒绝后在我背后破口大骂，骂我"老处女""不近人情的妖婆子"，我听见了，竟然没有特别生气。每个学期，学生来了又走，一茬又一茬，如此反反复复，什么都没变。

十年前，我只怕一件事，那就是平庸的生活。那时我刚从大学毕业，拿到字迹温热的受聘书，世界向我善意地敞开。我总想创造点什么，哪怕即刻死去。我贪婪，明亮，相信温暖的事，日子散落在四周，我甘愿被时间的酒酿灌醉。不知从哪一刻开始，过去的一切，为之奋斗、痛苦、失眠、坐卧难安的东西，像流星一般滑落。梦想渐渐从一粒触手可及的石子，变成渺远的群山。你慢慢从别人观看的世界中抽身而去，缩回到独属于自己的绝望当中，那是一片汪洋，日复一日地翻滚，潮起潮落。你只能努力将头露出海面。

如果年轻十岁，我会不会拥有不一样的人生？还是说，我们一生的路都已经写好，上帝只是从高处望着我们，看着我们原地打转，在藤蔓遍布的林间迷失，在河流一侧漫无目的地晃荡？多年后，当我们衰老时，才发觉那时决定我们向左还是向右的，不是我们自己，而是一个叫命运的庞然大物，它曾翩然落于你的枝头，而你当时只感到轻微的晃动。

所以和方小舒的相遇是上帝偶然的安排吗？是即将左右我人生的轻微晃动吗？会不会是他从名单上看见我的名字才申请带团的？他会不会和我一样，也在等待？

黄石公园老忠实喷泉前面成排的木凳上，我们在骄阳底下等待。时间过了，还没有喷水。我瞥他一眼，他正帮团里的一个年轻姑娘拧矿泉水瓶，他们在说些什么，在笑。他还记得很多很多年前，他曾在地图上给我指过老忠实喷泉吗？他知不知道，他曾让我从哭泣中抬起头，幻想更广阔的天地？

他始终在忙，帮女士和老人提行李，替司机指路，打电话确认餐厅、门票预订，安排接下来的行程，讲解沿途的风景。起得最早，睡得最晚，打点一切，一有空倒在椅背上就睡。他一次也没有坐到我身边的空位上。

上午在大棱镜温泉，透净的温泉水倒映出天上的云，池面的水雾浮在夏日温凉的空气里，岩石一层一层现出纵横交错的纹理，亮黄，橙红，赭石，湛蓝，翠绿。我张大嘴巴一动不动，看呆了。

他停在我身边，笑了。"羡慕你呀，第一次见总是好的。这地方我来过不下几十次，腻了。"

"爱好变成工作很痛苦吧？"

温泉水冒着淡蓝色的热气。

"哪有时间痛苦？累得要死，平时只想卧倒，一句话也不想多说。"

"那我岂不是浪费了你的话。"我仰起头，瞥见他在大太阳底下眯起眼睛，一脸疲态。

"别客气。"他戴上墨镜，大步跑到前面的栈道，挥舞手里的小旗子。人群向他聚拢过去。

几次想张口问他，还记得吗。但没有那么多巧合，记忆也没那么可靠，成年人不相信巧合和记忆，只信命。

喷泉汩汩冒着热气，水柱直冲向天空，一只乌鸦飞过头顶，人们得偿所愿，在鼓掌欢呼，哪怕它没有那么"忠实"。

墨镜底下，眼泪蜇得人睁不开眼。

最后一天，大巴车在公路上飞驰了很久很久，每一次睁开眼，窗外都是急急倒退的荒漠和岩石。我想起流落荒岛的故事。倘若我们这队人流落荒岛，我一定是最早放弃的那个，没有求生能力，缺乏求生欲望，艺术系教师和哲学家一样不受待见。

"我们傍晚到达鸽点灯塔，这也是我们此次旅行的最后一站。鸽点灯塔建于一八七一年，高十四米，是美国最高的灯塔之一。在灯塔内建有聚焦镜，能看到四十五海里以外的航标。鸽点灯塔也是拍照的最佳取景地，我们争取让师傅开快一点，在天黑前抵达。"

方小舒没有丝毫醉态，车上的人根本不会知道，他前一晚一夜没睡。他说过，工作就是工作，就算一万个不愿意，也要精神百倍，和训练一个道理，别总想着无聊、没劲，去做就好了。

"干我们这行的，就靠三件套。嘴皮子，勤跑腿，热心肠。少了一个，旅途就难熬了。一个人难熬不要紧，给人家留下不好的回忆才是罪过。"他往面前的酒杯里倒了点红酒，"你说这一大车人，老的小的，谁回去不是踏踏实实过日子？除了我们这种人，谁能一天到晚在大马路上瞎跑？回去了，日子安稳了，谁能像现在这么亢奋？"他真有点醉了，话一句接一句。"所以说，旅行的意义不是什么过程和目的，什么寻找自我，全都是放屁。我跟你说旅行的意义是啥——"他把手搭在我的手肘上，热的。他的声音有回响，我仿佛也醉了。

前一晚，旅行团刚抵达拉斯维加斯，就被空气里沙漠一般的炙热堵住了口鼻，眼前花花绿绿的欢腾占据了视线——环绕在豪华酒店高楼外、在自由女神像身后欢叫着起起落落的过山车，鳞次栉比的玻璃高楼，夹心饼干一样层层堆叠的高速立交桥，播放电音的豪华敞篷跑车，穿比基尼的姑娘，当街跳舞的人偶，杂耍小丑，人妖表演，冰啤酒，电吉他，亲吻，热气球，爆炸式的红头发，成排的老虎机……

拿到手的酒店房卡里，夹着一张演出券，晚上七点半。昨天来的路上，方小舒在车上介绍了拉斯维加斯比较有名的几场秀，太阳马戏团，艺术水秀，成人表演，脱口秀，魔术，一场表演一两千块。树林一样伸出的手中间，我是异类，只想躺进酒店柔软的大床吹冷风发呆。

在迷宫似的酒店里兜兜转转，上下扶梯，折腾了三五回，才找到剧场。远远看见方小舒站在门口，不安地来回转动脑袋，迫切地想从熙攘的人群中找出什么。

我走近，他眉开眼笑。"来了。"

"不等其他人了？"

"没别人。"

暗喜，更多的是恐慌。我已经过了十几二十岁在黑暗中期待一次肌肤之亲的年纪了。确切地说，比起期待，我更害怕期待落空。好在什么都没发生。

演出结束，穿过金光闪闪的赌场和极度兴奋的人群，狂欢的游行队伍身上涂满彩虹般的油彩，吹着玩具喇叭，牵着五颜六色的气球从我俩面前经过。等热闹过去，才发现两只手牵在了一起。他不再是必须恪守职业道德的导游，我也不是艺术系老师，这里没人认识我们两个。我们对视了一眼，没有松开手。走路时，两个人都在笑。

他牵着我进了一家名字古怪的酒吧，上了二楼，坐在一楼弹唱乐队的斜前方。酒吧里人不多，蓝色和红色交替闪烁的灯光里，都是喝酒聊天的男男女女。

"方导，我好像做过类似的梦。在一座陌生的城市，和一个偶遇的人，在这样一个酒吧里喝酒。"

"窦老师还是那么文艺。"

"别叫我老师，让我想起我那群学生，调皮捣蛋，不学无术。"

"那你也别叫我方导，天下没有好伺候的旅客。"


Fly the ocean in a silver plane

See the jungle when it's wet with rain

Just remember till you're home again

You belong to me


乐队主唱的嗓音很像杰森·韦德，沙哑，热情。一杯莫吉托、一杯长岛冰茶上了桌。

"你怎么留在美国当导游了？"

"不然做什么？IT码农？投行职员？律师？医生？"

我希望他不是在嘲讽。

"说认真的，之前你不是在部队当兵吗？"

"说来话长——"他拖长了尾音，和我碰杯，喝了一大口，"当兵当到三年半，训练时摔断了腿，人家摔都摔到垫子上，我直接戳进水泥地，右腿废了。那一整年，我都趴在家里头，招呼我妈，想吃这想吃那，吃成个快一百八十斤的胖子。废人一个。后来，我妈查出癌了，可能也是替我操心操的。"我突然不想听下去了，好像无端闯入别人家里，不小心看到了最不堪的景象。"为了陪她，给她送饭，让她开心，我开始减肥，做康复。半年不到就慢慢瘦下来了，腿也好得差不多了。去医院看她，她头发都掉光了，还笑着和我说，儿子，你这样才好看，以后结婚还得穿西服呢。后来终于瘦到能穿进西服了，参加的是她的葬礼。"

我想起家长会结束之后，她拽住我的手臂，让我救救她儿子，突然鼻子发酸，赶紧灌一口酒，望向一楼的乐队，架子鼓手正在耍着鼓棒。我原以为他会哭。

"嘿，人嘛，总要经历点什么，后来我也想开了。原先我在部队，负重万米跑总是第一名，人家都叫我'兵王'。摔断腿之后，一身力气没处使，不怕你笑话，我天天躺床上哭，除了我妈的事，就是不知道以后咋办。每天起来头都是木的，嗡嗡直响。后来知道有抑郁症这么一种病，估计我就是。正好咱们班赵大锁在南方创业赔了钱，想去国外混几年，我就跟他到了美国，住在洛杉矶，华人最多的地方，除了交通不方便，跟国内没啥区别。"

"后来就留下来了？"

"开始留不下，没人要，锅碗瓢盆都刷过，打杂呗，顺便学学英语，总比在家里哭好。我不是爱摄影嘛，打了一两年工，攒了点钱，买了单反四处乱拍。那一年刚好伊拉克战争结束，我拍了好多老兵回家的照片，断胳膊断腿的，哭的，疯了的。看了之后，那种滋味说不上来。你知道自己在偷窥人家的痛苦，又想拍回来做个纪念。我有个发小知道我住洛杉矶，开车来看我，看见家里头摆的照片，替我递给他们报社的主编，结果被当成特约摄影作品用了，还寄了张支票给我。后来又帮了我一把，进了报社，工作签的问题也解决了。"

从小到大，是我的不是我的，我都要争，不仅要争，别人拿到了，我还会生气，气世道不公，气自己无能。但这一次，我打心眼儿里替他高兴。

"别光说我，你怎么样？"终于问到了我。换了两杯新酒。

"我的故事你还是别听了，很无聊的，规规矩矩读大学，毕业后又回了大学，一直都没离开过学校。"

"那不是挺好，有些东西不经历也就别经历了。苦难啊，磨炼啊，没什么好处。别听人瞎掰。什么感谢苦难，感谢伤害过我的人，感谢贫穷，感谢命运，都是吃饱了撑的。"

我被逗笑了。方小舒和当年一样，不服管，也不反抗，永远像一块结结实实的广告牌，没人推得倒。

"我那群学生私底下说，咱们老师之前还是 K 大毕业的，现在跑到这儿来教我们，脑子进水了。十几二十岁的时候总想做人尖儿，拼了命想比过别人，结果呢？后来有一次系里开会，系主任提到我，表扬了几句，恨不能让我钻地缝里，千万别叫我高才生、学霸，臊得慌。我现在只想安安稳稳待在人堆里。"

"人堆里空气多差，不是你该待的地方。你不知道上学的时候我多羡慕你，成绩单排前几行是啥滋味，咱是一次也没尝过。"

"人都有这毛病，看别人的人生都比自己的好，你说你想做间谍那次，我对你刮目相看。"

他茫然地看向我。他不记得了。

"不说这个了，你喝多了酒会咋样？撒酒疯？会忘事吗？"

"我没忘。"

抬头看他，他又重复了一遍："窦冉，我没忘。在部队，我是我们排里酒量最好的，排长都比不过我。"

他那天没喝醉，现在却像是真醉了。"但是不一样。就算你我没变，时间也变了。这次看到你坐在那儿，我就安心，带过几十上百次团，没有哪一次比这次更开心。真的。"

我想打断他，再这么说下去，两个人都没办法圆场。我拍了拍他，摇摇头，想让他停下来。

他没理。"窦冉，那天你在车门口打电话我听见了，家里还有人惦记你，多好。"

"我跟你说旅行的意义是啥——"他把手搭在我的手肘上，热的，"旅行的意义就是回忆。哪天你腻歪了，没劲了，想不开了，觉得活着就是受罪，怎么都不对，你能想起这么一次。能在大自然中发呆，在一辆车上和老熟人相遇，还能在陌生的城市里闹腾，还对未来有点想法，有点期待，不用多，就挺好。"

我盯着他的眼睛，浅褐色的。我想听他一直讲下去。

"什么都挡不住年龄，像马似的越跑越远，任你怎么喊都停不下来。和我共事的那些刚毕业的年轻老师，成天混在学生堆里都看不出来。回到更年轻的时候吧，空有一肚子理想，又穷又冲动。现在呢？不穷了，冲动和理想也不剩什么了。"

"理想是给自己留着的，不怕晚。最讨厌那种天天拿年龄去框别人的人。你不用这样，我也不用。日子还长着呢。有时候遇见不识趣的游客，被骂上几句，被扇几巴掌，就想放弃。但换了这么多地方，做了这么多工作，没有哪一份真正遂了心意。活着就是修行。你得这么想。"

我们喝了很多的酒，说了很多的话，每口酒和每句话都没什么意思，但凑到一块儿，就值得细细回味。

我还会回去做老师，或许还会成为母亲；他还会在路上认识更多的人，或许遇见他的另一半。我们都会在琐碎无聊时想起这趟无人知晓的旅途，像一颗小小的石子掷进一湾浅浅的水，没有太多波澜，但石头已经沉入湖底，静静躺在那里。

那一晚，所有悬而未决的问题都有了答案。

傍晚时分，暮色渐浓，霞光澄亮，远处的海面染上了橙色。海浪拍打在铺满苔藓的岩石上，一波再一波，象牙色的海鸥在夕阳下起飞又栖落，回旋着，嘶鸣着。

大巴车停在笔直的公路尽头。鸽点灯塔看起来没有那么高，也不大。它小小的，安静地伫立在那里，像在等待什么。

2018 年 8 月完稿

微不足道的生育

隔壁一声高过一声的呻吟穿透薄薄的墙壁，如鼓槌般敲击着方小娟的耳膜，一下，两下。她闭紧双眼，试图将一切响动隔绝在身体外：窗外工地杂乱无章的钢筋撞击声和着夜间火车经过时的呼啸，烧烤店门口"打折优惠"的音响昼夜不停，喝醉的路人蹲在路边呕吐、大笑，汽车轮胎摩擦地面，摩托车发动机轰鸣，野狗狂吠。声音却像潮水拍打着她，一波又一波，分不清是真实还是幻觉。她咬紧牙，恨不能捅破自己的耳膜。

　　何川显然醒着，手臂环抱，呼吸沉重，照例背对着她。他一定也听见了，兴许正皱起眉头。如果是十年前他们刚结婚那会儿，他一定用抑扬顿挫的东北话打趣：哟，哥们挺猛啊。她会咯咯笑，接着在黑暗里探寻他的嘴唇，肆无忌惮地吮吸。一双腿从背后牢牢钳住她的腰身，用更大的响动结束良夜，相拥入梦。

　　这一刻，谁都不想主动挑破尴尬，谁都想保留最后一丁点或许还能称作尊严的东西。

　　自从隔壁住进一对年轻小夫妻，方小娟明显感到自己受了某种胁迫。她总能和他们在狭小的电梯里遇见，她主动缩进角落，为他们腾出足够的空间，同时又忍不住用余光瞟向他们。两人实在太耀眼。男孩的手明目张胆地在女孩身上游走，隔着一层不怎么厚的衣服，方小娟甚至能感受到那女孩身体里微小的战栗。女孩噘起嘴唇，回应男孩宠溺的眼神，用指尖轻点他的肚腩，两人呢喃着什么，方小娟一句也听不见。他们在不经意间笑起来，她努力控制抽动的嘴角。

年轻真好，两个人就足以撑起整个宇宙，外人都是一闪而过的尘埃。方小娟故意放慢脚步，目送两人从单元门门口走进火热的艳阳里，一股和时间有关的执念在她身体最深处轰然炸裂，惊惧和惶恐如烟花绽放后的火药味，飘散在半空，迟迟不退，使得她每次将钥匙插入锁孔，都要经历一番难以解释的压抑，甚至是悲痛。

他们没有孩子。

公公那番话或许是对的，没有孩子的家庭，也许轻松，也许青春永驻，但欢快很难长久。"老了你们就知道咯，两个人的日子不好过。"公公把玩着手里两颗核桃，透过老花镜笑滋滋地看一眼方小娟，然后将眼神投向儿子。方小娟无法佯装不知，那眼神里全是嗔怪和抱怨，她连忙低下头呷一口滚烫的茶，将茶叶吐回杯中。

婆婆总不在家，这倒让方小娟一身轻松。无论什么时候到丈夫家探望，都只有公公一个人，他有时盯着电视里蹦蹦跳跳的小姑娘自语：跳的都是什么，这也能上电视？遥控器拨一次台，便换一种骂法，天下没有一个节目合他心意。有时他端来陈年的干果瓜子，冲一壶茶，报纸翻得哗哗响，油墨味在小屋里荡开。方小娟坐在离他不远的沙发一角，像冬日一团不请而至的冷气。

"你妈又出门了。"在公公的字典里，"又"字表示不满。方小娟嫁进何家以后，婆婆只露过几次面，一次是婚礼上的献茶，她叫了她一声妈，公公在一旁笑个不住，而她面无表情；一次是和何川激烈争吵后，方小娟回了自己家，婆婆和何川接她回家，她提着行李箱出现时，一只指节宽大、手背布满青筋的枯手在她脸上拍了三下，方小娟想，她本可以打得更重些；还有春节的家宴，公公和婆婆坐在饭店圆桌的正位，像旧宅门口两尊石狮，不互相夹菜，没有眼神交流，任人说话也不抬头。方小娟难以想象他们是怎么度过一生，又是怎么生下何川和他妹妹何婷的。

"咱妈平时都在忙什么啊？"

从何川家出来，车子刚上立交桥，就堵在车流里。

"这司机怎么开的车？变道都不给个信儿！"何川狂敲方向盘上的喇叭，车子像头发怒的公牛，哞哞哞叫。

"咱妈……"方小娟不理解，邻居见了面还要打声招呼，两个人同在一个屋檐底下几十年，至少该说说话。

"我妈性子独，不爱吱声。"何川话音未落，一辆桑塔纳塞进车流，差点刮到左侧的后视镜。"等你妈教你做人再上路！"车子又短促地哞了几声。方小娟不敢再说话。她能猜到婆婆每天都是怎么过的，到楼下小花园里散步，看别人家的媳妇领着孩子玩泥巴、蹬小车，站在下棋的大爷们身旁骂几句"臭棋篓子"，偶尔也混进打牌的人堆里摸上几把。不管她在干什么，只要看到小孩子摇摇晃晃地走过来，就会停下手里的一切，咧嘴歪头，用孩子般的声调夸张地问：多大了啊？然后和一旁的年轻妈妈攀谈起来。水果摊把方小娟挡得严严实实，她假装在端详一只水蜜桃的成色，只听婆婆嘴里发出啧啧的声音："我要是年轻个三四十岁，我早就自己去生了！"她不顾年轻妈妈尴尬的笑，径直念叨下去："现在的年轻人，净顾着自己舒服，根本不考虑我们老人，孩子啊后代啊，都打了水漂了，还一天到晚不知趣，猫啊狗啊！急死人！"

方小娟没和何川提起过这段话。不再事事都和对方通气，不代表隐瞒和欺骗，不过是为了继续过下去，尽量减少摩擦、心安理得地过下去。婚姻也许不会让两个人更相爱，只会一寸一寸消磨他们，最终教会他们隐忍和退让。再年轻十岁，在婚礼司仪略带煽动性的嗓音里微笑的方小娟，以为自己永远不必明白这个道理，但不过十年就谙熟了。

她曾经有过一个孩子，在他们的婚礼还在筹划的过程中。腹中的胚胎只有几厘米大小，何川对她说：打掉吧，咱们都还年轻，日子还长。他用拇指将烧尽的烟蒂死死按在烟灰缸底，脸上挂着几分疲态，眉头间还有厌倦。

为什么?! 凭什么?! 她在心里几近暴怒地狂吼，但她什么都没说，什么都没问。

那几天的梦境里，反复出现一个长相比她更娇艳的女人，身形瘦小，肚子奇大。她站在他身边，挽着他的手臂。方小娟自己则站在人群中，喊也喊不出，叫也叫不出，仿佛和他们隔着一层厚玻璃罩。她特地找来会算命的朋友解梦，得出的结论是：孩子留不得，留了也得不到父爱。她从不迷信，不会被路边试图叫住她的算命人绊住脚步，这一次却二话不说就躺在了冰冷的手术床上。倘若在众目睽睽之下挺着肚子出现在婚礼现场，撕咬她的那种羞耻和社会禁忌、流言蜚语无关，而是和性有关，仿佛所有人在一天之内知晓了一个众所周知却又不可告人的秘密。她害怕用如此显而易见的方式出卖自己。

"我会把孩子打掉，今天上午。"电话这头，她吞了一口唾沫，喉咙发苦，不知道自己的声音听上去是不是在颤。她内心的渴望像一股烧得正旺的煤烟，直冲眼眶，熏得眼睛酸痛。她想听见他急切地说，算了吧，生下来，我们的孩子。她会流下感激的泪水，从诊所一路奔过去，一头扎进他怀里。她会甘心为他洗一辈子内裤和袜子，在他下班后将热腾腾的饭菜端上桌。

"哦，好。"短暂的沉默后，电话里只传来这两个字。冷的，没有多余的感情，比医生的通告更漠然，好像他只是她偶然征询意见的路人。那时，他们在父母的介绍下认识刚满一年。她向他缴械投降的前一秒，他说会一辈子对她好。之前没人说过这样的话，她毫无防备地向他敞开了自己。

如果重来，你会不会重新选择？无论何时碰见这种无聊透顶的问题，方小娟都会在心底啐上一口，那口痰在她的想象中精准地落在何川脸上，粘住他嘴唇上方的胡须。如果重来，她绝对不会——不会轻易地向他敞开自己，不会一脸幸福地牵着他的手说"我愿意"，不会在他要求打掉孩子时懦弱地沉默，不会在婆婆拍她脸颊时还挤出无辜的微笑。她会选择另一种方式。她会暴怒，用最尖刻的语言回击，用铁一样的拳头狠砸进不管是谁的肉里，会声嘶力竭地大喊，学她最看不起的泼妇那样当街大骂，会在他剥下她衣服时用膝盖猛顶他最软弱也最恶毒的部分。她会亲手撕开他的甜言蜜语、他善意的伪装。

但是，她没有。

她失掉了孩子，有可能是此生他们唯一的孩子，在人声嘈杂、让人羞耻的黑漆漆的小诊所。她从麻醉中苏醒过来，脸色煞白，从颈部到脚踝全部湿透。她醒来后做的第一件事不是检查自己是否在流血，而是强撑起上半身，费力地望向窗外的走廊。她期待他此刻正望向自己，眼里有悔意。她在电话里特地透露给他时间和地点，默认他会在乎和记住，并有所行动。她的眼神最终落在窗外的一片白墙上，一个鼓着肚子的产妇正绝望地呻吟。咸湿的泪水滑进她半张着的口中，她第一次从一滴泪水中尝到发涩的苦味，和不捏鼻子灌进一碗汤药一样。

之后每逢人提起孩子，方小娟眼前都会出现一堵白茫茫的墙壁，还有空落于其上的近乎卑贱的迫切眼神，有如燃在冰面上的一团野火，哔剥作响，无时无刻不噬咬着她最卑微的愿望——被看见，被了解，被呵护。她时常想念冬天毛毯盖在身上时那种熨帖的宁静。可她的生活中只有一脚踏空坠落悬崖前夕的沉默，还有扎入冰冷海水时劈头盖脸的大浪，海水包裹着她，像一块黏稠的树脂，而她是误入深渊的昆虫、凝结前的琥珀。

"为什么一点激情都没有呢？嗯？"何川全身赤裸，额头上挂着汗珠。他打开窗子，将烟灰掸向窗外，边吞云吐雾边斜眼看她，梗着脖子，脸色发红。

她收拾着残局，一只手拂过皱巴巴的床单，半开玩笑似的说："你怎么就对这事儿有热情呢？"何川说的是对性的热情代表爱，方小娟说的是仅仅对性有热情表示不爱。他们都没听懂彼此的话。

"咱们为啥在一起？就为这！你懂不懂？"

烟蒂弹出窗外，几颗烟灰落在白天方小娟刚擦过的窗台上。

"不懂。"方小娟想说，他们在一起的基础应该是爱，不是这个。

"何川，你爱我吧？"她低头摆弄一张卫生纸，任凭额前的刘海一缕缕散落，遮住眼睛。

初秋的夜晚真安静，没有蚊虫的嗡嗡声，没有蝉鸣或蛙鸣。风乍起，叶子一片一片落在地上。夜空清朗。

她听见有脚步声走出房间。马桶在冲水。


"妈，你说，男人为什么就喜欢干那点事？"牙科诊所要装修，翻新用了八年的店面，放假三天，方小娟一个人跑回了南方老家。坐在儿时奔跑过的菜园子里，自己仿佛也变成了一颗卷心菜，冲着熹微的阳光吐出清香，从内至外清脆透明。

李之芬坐在小板凳上，脚尖相对，从盆中拿起一个豌豆荚，用拇指剥开，指尖将豆子推出豆荚，散落在盆里。阳光底下，她的身形和年轻时一样迷人，虽然是以不同的方式——脖子颀长，脊背挺得笔直，头顶像有一股力量向上擎着她，细长的手指和翠绿的豌豆荚正相配。

年轻那会儿，她在当地的剧团跳女主角，是舞台中央闪闪发光的公主。她从众多追随者中选了最帅气的那个，后来他成了方小娟的父亲。第一个七年，她无疑是世上最幸福的女人，被众人捧在掌心的台柱子，迷醉在丈夫的甜言蜜语中，日子过得齁甜，直到她在家门口撞见那个不起眼的女人，还以为对方认错了门。那人眼神闪烁不定，嘴唇干裂，像一条快要干涸而死的鱼，周身散发出似有似无的鱼腥气。女人颤抖着念出丈夫的名字，李之芬哼笑起来，像在听一个并不好笑的笑话。

自那之后，李之芬却如同一件外表华丽的玻璃饰品那样，被击得粉碎——恶言恶语，冷嘲热讽，无底线的咒骂，隔着话筒、手机屏幕、薄薄的房门，隔着黑夜的噩梦和恍惚的白昼向她袭来。她不敢相信，那天穿一身碎花连衣裙，挎着旧布兜，嗫嚅着恳求她的女人会如此恶毒。她能感受到丈夫在远离自己，以他认为儒雅的方式。她小心翼翼吐出口的话，曲曲折折的询问，她渴望再次站回舞台中央的骄傲，他通通都不再回应。他风干成一副和她凑合着共处一室的躯壳。

日子过不下去的时候，李之芬劝自己，人总会变，不是此刻，就是下一刻，不是因为这个人，就是因为那个人。也说不定头七年的幸运是被她自己不知不觉消耗光了。她曾那么不经意地否定他，连同他的心爱之物一起。她也曾盼望看到眼下生活之外的可能，宁愿它不甜蜜，宁愿它暴虐、凶险、汹涌不定。

"是啊，男人一辈子就靠那点事活着，总觉得女人满足他们是理所应当。其实呢，除了那点事之外，他们什么都不管，你怎么样，日子怎么过，好像都和他们没太大关系。不是有那么一句话吗，女人是附带一个脑袋的身体，男人是附带一个身体的脑袋。"

李之芬直了直身子，豆子叮叮咚咚滚落在盆底。

方小娟心想，人和人之间还是有区别的，自己肯定是爸妈爱情的结晶，不是冲动，更不是意外。她捡起一颗落在盆外的豆子，吹了吹浮灰，丢进盆中。

"你知道吧，打算要你前，我跟你爸制定了一个锻炼时间表。结果还没来得及执行，就怀上了。怀上你的前一天，我俩还在海里游泳，幸好没把你游掉。"李之芬额头抵在手腕上，笑得直不起腰。

"那，生了孩子之后呢？"

"还不如以前呢。他们专挑你不爱听的话说，逼得你不得不反击，他们再抱怨你啰唆，说你敏感，疑神疑鬼。到头来好像真是咱们错了。"

没错，何川就是这样。结婚第五年，纪念日刚过，方小娟在洗衣服时从何川的衬衫兜里翻出一只浅紫色发卡，一根小指那么细，贴满小颗的钻。她以为那是他要送自己的礼物，放在手心里仔细打量——一根栗红色的短发晃得她天旋地转，她慌忙从洗衣机里拽出衬衫，塞回发卡，把衣服挂回衣柜。她或许还等着何川再次将发卡递给她，轻描淡写地说，送你的。上面没有那根明晃晃的头发。一定是看走眼了。她再惊喜万分地将它别在头顶。

现实是发卡自那以后彻底消失。她似乎也忘了这件事。

直到那次争吵，发卡才从她的脑海中腾地跳出来，好像在为她加油助威。

"赵小郦，就我那个中学同学，都生两个孩子了，她嫁给了香港的富商呢！"方小娟把手机递到何川鼻尖底下。照片上，赵小郦身边站着一个没有门牙的平头小子，怀里抱着头系粉色蝴蝶结的小婴儿，他们站在一棵挂满吊饰的圣诞树前。她和赵小郦当年是班里学习最好的两个，互争第一，班级分成"押方"和"押赵"两派，五毛钱一注，无聊的学生时代就靠这两个拼命学习的女孩寻求一点乐趣。

"你有本事也嫁给富商啊。"手机被打翻在地，何川似笑非笑，仿佛吃桃时不小心吞进一条白虫。他讨厌方小娟用这种方式隐晦地敲打他，做保险推销员怎么了，每月提成挣得也不少。她老吹嘘自己上学时学习多好，有用的话，她也不会在牙科诊所里当区区一个接线员。

"你怎么回事？"方小娟后退了两步。眼前这个男人根本不关心她的过去，只会挑她最不经意的时候公然挑衅，不管不顾地抛出恶毒、嫉妒和愤恨，然后斜眼瞥她作何反应。她受够了无休无止的试探。

"我怎么回事？你问问你自己吧！还羡慕人家，大款都娶了比自己小十几二十岁的小姑娘，再看看我娶了谁？"何川忍无可忍。他看不惯披头散发的妻子在面前夸赞别的男人，那意味着自己的无能和软弱。跑业务的这几年，他单凭一张嘴皮子跑遍全城，靠一笔笔提成支撑起这个家。方小娟却总不知足，嫌他邋遢，说他不按时洗短裤袜子，回家后第一件事总是躺在床上，不去把身上臭烘烘的汗冲干净。他想要亲近时，她总是本能地躲开，像闻见了某种不洁之物。

"要不是你爹提着瓜果梨桃到我家提亲，我会跟你过？是谁说会对我好的？全当是放屁了吧！"话一出口，方小娟愣神了，向来轻声细语的她从没想过，这样的话也会从自己嘴里吐出来。

"你对我呢？你对徐大夫都比对我热情。"何川腾地起身，朝地板上的手机狠踩了两下，末了又补上一脚。那个叫徐文津的牙科主任每回见了他都绕着走，实在躲不过就生硬地叫一句妹夫。再看方小娟，连头都不敢抬，傻子都知道怎么回事。

方小娟承认，站在诊所前台接电话时，她的眼神常飘忽不定。她喜欢看见他，看见他精心吹起来的头发蓬松地顶在头上，看见他穿一身白大褂，边走边摘下口罩，朝她露出温暖的笑。他牙齿整洁白净，戴副圆圆的眼镜，若是换上一身长袍，在民国肯定是文人或教书先生。他们没怎么说过话，顶多是"病人来了？等你忙完，让他进来吧"，或是"不忙的话，帮他登记一下，记得约下次的时间"。说话时，他看着她。她享受被他注视，那不是例行公事，而是征询她的意见。有病人回访送来水果，他用塑料盒一盒盒装好，分给诊所其他的医生，她也有份。切好的水果上面放一把塑料小叉子，淡蓝色的，和他的口罩颜色一样。

和这样的人一起生活，会怎样呢？方小娟不止一次地想。他会在她生病时用嘴唇试探她额头的温度，为她倒水时确保不会太凉或太烫。他有个井井有条的衣橱，衣服按照季节和颜色深浅分类。圆眼镜始终擦得锃亮。他关心她那几天别碰冷水，主动承担做饭和洗碗的任务。他会轻柔地进入她，替她轻轻拨开眼前的碎头发。

"求求你了，别这么无聊！拿别人说事也找个靠谱的，人家有家有室，你省省吧。"

方小娟累了，手脚发凉，和电话接多了的症状类似。她讨厌说话，却以说话为生；讨厌争吵，结果被客户吵、和丈夫吵。她仿佛被吸入命运的黑洞，必须靠不停地说话才能保命。何川满不在乎的样子激怒了她，那个淡紫色的发卡、保守多年的秘密击中了她。

"你以为你干净？你外面是不是有个小姑娘？红头发的？"

何川的瞳孔倏地张开，像她即将坠入的黑洞和山崖。方小娟愤怒到指尖发颤，却忽然后悔了，她不该提这一茬——婚姻的前提是隐忍和退让，他们得继续过下去。而撕破脸的人再怎么宽宏大量，也很难再开对方的玩笑了。开不起玩笑的两个人在一起疙疙瘩瘩地过日子，她办不到。

何川咬紧牙，鼓起腮帮，抓了抓脑后的头发。到底哪里出了错呢？和孙苏阳待在一块儿的每一天，每个瞬间，在他脑海里一帧一帧地过。他极小心，小心过了头，不像正常的男人。他承认自己贪婪，想同时拥有她和她的清白。

他永远记得那个骨架瘦小的姑娘第一次站在眼前的模样，一笑就脸红，温暖的栗红色头顶在他鼻尖前晃动。领导说，她刚来，你带一带她，小姑娘年纪不大，很有灵性。她只有二十二岁，他大她十岁还多。她叫他川总，其实他也只是跑腿的业务员，不是什么总。听见她糯糯地叫他，何川感到撒在皮肤上的盐巴被舔舐得一干二净。

那一年，他和方小娟的冷战延绵许久，以至于连最初的起因也忘记了。他们用一副冷若寒冰的面孔对待彼此。何川感觉日复一日站在一片阒无人迹的沙漠深处，想拼命奔跑，流沙却在脚下滚烫地翻腾，任凭他身体前倾，向后蹬着脚步也毫无用处。他口渴到呼吸困难，想喝水，想呼救，想一路逃奔到绿洲去，又怕遇见一片同样的沙漠。孙苏阳就是一捧救命的水，只须喝上一小口，他就能生机勃勃地活下去。

孙苏阳跟在他身后，像一只小巧的麻雀在枝头跃动。她蹬着杏色的高跟鞋，从烈日下的天桥上走过，不撑伞，不喊累，细嫩的脸颊晒得通红。她不知什么时候会从身后递来一瓶冰镇矿泉水，他想她一定是多跑了几步，才勉强赶上他的，于是放慢了脚步。在客户单位介绍保险时，她就坐在一边，往本子上记着什么，时而抬头望他一眼，眼神如溪水般澄澈，他许多年不曾见过这种热切了。

"川总，刚才那个客户那么固执，你都能拿下，好厉害。"她喜欢说"好"，好厉害，好开心，好喜欢，好好吃，好好玩。世间万物在她眼里都是好的，艳阳是好，阴雨是好，狂风暴雪是好，午后阳光是好。他开始痛恨方小娟的"不好"，碗筷洗得不好，衣服叠得不好，睡觉时打呼噜不好，夏天喝冰水不好，蹲厕所时间长不好，看电视声音大不好。一迈入家门，他就被种种不好缠身，无处躲藏。

和孙苏阳说话，何川会不自觉压低音量，唯恐惊吓到她，他不想让她以为自己是个鲁莽粗糙的人。他开始更用心地洗澡，头发用洗发水搓上几遍，衣领必须干净，手表不能在手腕留下金属的污迹。他更细致地刮胡须，检查鼻头是否整洁，眉头有没有起皮。他不再啃指甲，每天用清水冲洗指缝。他出现在她面前时，感到自己正闪闪发光，一个全新的人，堂堂正正的男人。

"我小时候那会儿，我妈在我生日那天送了我一辆小红车，用铁焊的，自己漆的漆，那时候我家根本没有闲钱，不知道她从哪里搞到的。我骑着它在院子里兜圈，一圈一圈。小伙伴们跟在后面跑，一圈一圈。"她的手指在空中画圈，他想象着她梳着冲天鞡，在人群中趾高气扬的模样。"因为我个子矮，从小就被欺负，从来没见过那样的场面！有人跟在你后面欢呼！鼓掌！我就笑啊笑啊，夜里都笑到睡不着。"中午时分，公司楼下的小餐馆人满为患，孙苏阳的笑声还是像好听的风铃一样，在春风中荡开一道清凉。他也有过这样的童年，因为一个小物件，一点小心思，就被快乐填满，丰盈得像中秋的圆月。他在孙苏阳的笑声中沉入更久远的时日，他发现自己也在笑，痛快淋漓地大笑，没有任何包袱，笑到额头连着脖子发烫，泪模糊了双眼。下午还有业务要跑，他没喝酒，却醉得睁不开眼睛。

"川总，要是哪天我也能和你一样熟练就好了。"孙苏阳将一块纸巾放在他手边，抽回手时碰到他的食指指尖，好像让开水烫了一下。他下意识地攥紧拳头，拇指反复揉搓发烫的手指。

"很快，上手很快，下个月，下个月我保证——"他想说，下个月保证让自己更好，让她更喜欢自己。"保证让你得心应手。"他说。

一连几个夜晚，何川没来由地清醒，他欠起身，凝视身边呼吸轻微的妻子，那个和他一起步入婚姻的可怜女人。她看上去那么疲惫。上周末去看父母时，老人照例提起孩子的事，他们不过是聊到了邻居家的一条狗，话题还是扯到了孩子。他往常急于寻找词句搪塞，忘记了方小娟的存在。那个周末，他故意不作声。只见那个女人端起饭碗的手轻微地颤动，饭粒粘在碗口也来不及拨开，她不自然地翕动着嘴唇，眼神空洞。他等待着，她只说了四个字：鱼蛮好吃。已经有大半年之久，他们没有亲近过彼此了。他们只是走进同一扇房门，在一张饭桌吃饭，睡在同一张床上，伴着隔壁的呻吟声踉跄入梦，如此而已。

他不是没想过做爸爸，像众多结婚多年的"正常家庭"那样。但每次面对她，就像是与自己的种种不堪短兵相接。一个极爱干净、曾经是个好学生、自恃清高的女人，因为怀了他的孩子不再接受别的男人，而他命令她打掉了那个孩子，就是为了让她对他失望，好彻底自由。她却如影随形，用一辈子捆缚住他。他爱她吗？不想放手，害怕失去，却不愿亲近，不想看她随时警觉的眼睛、干瘪的嘴唇，这算爱吗？他在汪洋里奋力扑腾，一想到身后的海岛永不会消失，他就安心。但他更渴望一艘动荡的渔船，渴望划桨时上臂凸起的肌肉，渴望从渔船上望见时时更替的风景。

可怜的人。

对了，他想起那个发卡了。那一晚他没有出差，不在昆明，他就在城东一家宾馆等她。心扑通扑通地跳，他才意识到，原来心脏还可以这样跳动，必须不停地咽唾沫才能不让它蹦出来。短信里，他说想替她过一次特别的生日，母亲过世多年，她一个人漂在外面不容易。她回了句"好哇"。他发去了地址，隐去了宾馆的名字，那太露骨了。没有蛋糕，没有蜡烛，没有生日歌，深夜十一点，他俩坐在床边。

"今天怎么过的？"他蜷起腿，扯了扯发皱的裤脚，上面有根线头，他捏起来，在手指肚间来回揉搓。

"没……没怎么过，我其实……不太过生日。"她没看他。她化了淡妆，淡粉色的眼影不均匀地铺在眼皮上，这会儿正试图咬下嘴唇上的死皮。

"哦。"他不知道还能说些什么，培训课上学到的开场白都失效了，没有一句适用于这个场合。他得在最短的时间内学会遣词造句，别毁掉这个夜晚。

"川总，你老婆是怎样一个人？"

他从没在她面前谈起过方小娟，他希望她和自己一样，必要时忘记这个人的存在。但此刻他不知道怎么拒绝，用轻蔑的语气谈起自己的老婆，再和她来一场鱼水之欢？似乎不符合逻辑。

"婚姻是另一回事，你不懂。"他找不出别的措辞，指节按得嘎嘣直响，指肚惨白。

她不说话。

"在婚姻面前，你不是你，或者这么说吧，你经常分不清哪个是你，哪个不是你。"他不知道自己在说什么。

"但我爸妈就很幸福啊。我妈临走前，和我说得最多的就是照顾好我爸。她没说别的，一句也没有。一个女人活一辈子，我以为她会说些别的。"她声音很轻，像在自言自语。他生怕她会哭，不知道该怎么收场，但她分明在笑。

"家庭和家庭不一样。我爸妈从来不讲话，我都怀疑他俩认不认识。我妹说，他俩也好过，她看见过他们——"他停下来。

"你有妹妹？怎么没听你说过？"年轻女孩的关注点让人惊奇。

"有，比你大三岁，和你一样皮。"他像在和别人评价自己的女儿。要是有酒就好了，来时他慌乱中忘了买。他起身打开电视，音乐声有点刺耳，他先是调低了几格，又调到最大。

"谁人定我去或留，定我心中的宇宙，只想靠两手，向理想挥手……我有我心底故事，亲手写上每段得失乐与悲与梦儿……"上大学那阵子，这首歌还流行过。他失恋了，同学唱给他听，他借着酒劲儿号啕大哭。年轻时的伤多容易痊愈呀，酒醒了就烟消云散。他站在电视前，用脚尖打着节拍，有种想哭的冲动。

"纵有创伤不退避，梦想有日达成找到心底梦想的世界，终可见。"孙苏阳在唱。她居然听过这么老的歌。他看到她在哭，瘦削的肩膀上下耸动着，像林间觅食的小松鼠。他从背后抱紧她，紧到能感受到心跳，不知是她的还是自己的。他只想让时间停止。

她等他松弛下来，从他怀里移开，看上去心事重重。后来她理了理头发，离开了。他瘫倒在沙发上，盯着电视机，幽灵一样过了一整夜。清晨，天还没有亮，他从地毯上捡起那个发卡，揣进衬衫兜里。他没必要给自己惹麻烦，但不想丢下她遗落的任何物件，包括她的发卡、眼泪、呼吸。他从未如此细腻地感知过另一个人的存在，在一间仿佛没有人住过的酒店房间。

何川揉了揉眼睛，缓过神。他看见方小娟半张着嘴，好像在等待什么。他弯腰捡起手机，说："明天我再买一个新的给你。"他还想说"对不起"，像安抚一头受了惊的小鹿那样揽她入怀。

在他积攒足够的力气走过去之前，她转身走开了。

电话打来时，何川正在厨房收拾一条鱼，满手血腥。他歪歪头，试图从方小娟手里接过手机，母亲在哭喊，鱼摔在砧板上。他奔去医院。消毒水，酒精，手术推车，氧气管，仪器刺耳的嘀嗒声，医生在说话，母亲在哭，方小娟瘦小的身影在走廊里趔趄着奔跑。

爸，您放心，我们会给您生个孙子。他听见她在许诺，像对着空气说话一般。母亲晕倒了。他去搀扶，却双腿发软扶不起来。眼前是一层让人窒息的白色，除了幢幢人影，什么都看不分明。

他跪下去，头磕在走廊的瓷砖上。他不知道自己为什么这么做，为了不曾见过孙子的父亲？为了他撒过的荒谬的谎？为了一段破败的婚姻？为了孙苏阳？为了方小娟？

他只想跪下去，把头深埋进手臂。

"还有多长时间？"她问医生，又转过身对他说："一年，我们还来得及。"她神色凄惶而笃定。他将她揽进怀里，像安抚一头受了惊的小鹿。

他们白天在医院看护，她辞掉工作，临走前甚至没有来得及和徐大夫道别。他不再纠缠于别的感情。他们夜夜轮番努力着，不知道努力给谁看。

时隔多年，何川和方小娟都忘不了那天，他们庄重地去了医院，怀里抱着出生不久的儿子。他们来到加护病房，双眼紧闭的父亲正躺在那里。他俩向前一步，将婴儿放在父亲的臂弯里。那天阳光好极了，喜鹊在病房窗外鸣啭雀跃，初秋的树叶比盛夏时节还绿意浓郁。

嘀声漫长，一条绿线平平滑过。

老人怀里，男孩放声大哭，比所有人哭得都用力。

2018 年 6 月完稿

普通生活

## 五岁

你看姐家孩子长的，再瞧瞧咱的。

窸窸窣窣的声音从门外传来，顾秋摆弄了一上午玩具的两只小手停了下来。她丢下玩具，踮起脚站在旧式衣柜的长条镜前，双手按在冰凉的镜面上，眯起眼睛细细打量眼前这个小姑娘。绒毛似的卷发耷拉在头顶，盖住了一半因为营养不良而格外硕大的额头，单眼皮，小眼睛，塌鼻梁，眉间让蚊子留下一颗猩红色圆点，牙齿微微向前凸，咧嘴一笑，嘴唇像两片干瘪的陈皮。她坐下来，靠在墙角，望着窗外将尽的天光怔怔出神。自己果然是丑的吗？

昨天是顾秋五岁生日。姨妈带着表姐侯夏夏来家里玩。那是怎样一个小公主，披一顶淡紫色的小斗篷，一双大眼睛好似在和人说话，见谁都猛鞠一个躬，两条发辫甩到天上，奶声奶气地说："姥姥好！""小姨好！"声音如同精致小巧的风铃的脆响一般，所到之处尽是笑声和称赞。顾秋呢，被人围在中间，面色苍白，头顶纸做的金色皇冠，指缝间粘满奶油，吹蜡烛时被火苗燎到了嘴，忍不住号啕大哭。泪眼中，一屋的人都在指着她笑。人家越笑，她越哭，她越哭，人家越笑。哭累了，她看见妈妈把第一块蛋糕递给了姐姐。和姐姐比起来，自己真是太滑稽了。她冷静下来，抽泣还未止住，就被人往嘴里塞了一大块奶油。这些都是丑的缘故吗？

醒醒，小秋，吃饭了。

房间全黑了，她只看到一个黑影将自己擎起，穿过明晃晃的客厅。"爸爸？"她在半睡半醒间呢喃着，"你还爱我，对吗？"眼泪把鼻子灼得发酸。自己洗洗手，吃饭了。爸爸把她放在盥洗池前的小板凳上，转身离开。

昨天晚饭过后，众人怂恿她表演节目。小寿星，来一个吧。他们热闹地叫嚷。站在一双双眼皮底下，顾秋羞红了脸，鼓足力气，几乎是吼着唱起幼儿园新教的儿歌，边唱边比画。终于唱完最后一个字，她故意把尾音拖得老长，扬起头等待。半晌，姥姥说了句：这调儿啊，都快跑到海南岛了。笑声像寒风一般从四面八方钻进她的身体，她不由得缩紧脖子，又仿佛被烈火从头到脚炙烤了一番，喉咙火辣辣的，透不过气。这时，姐姐穿一身浅蓝色的小裙子，蹦到她面前，朝她眨了眨眼。姐姐来救我了！顾秋伸手去抓姐姐的手，却落了空。姐姐将她的舞蹈原封不动跳了一遍，脚尖轻点着地板，像极了一颗灵活的小陀螺，在不大的圈子里旋转跳跃。她看呆了。那掌声原本是属于她的。这一次，她没哭。

丑，是可以改变的吗？怎么办才好呢？顾秋站在厕所的镜子前，拼命揉捏自己的脸。鼻子太扁，额头太大，嘴唇太薄。她嘴里念念有词，不小心一个趔趄从小板凳上摔下来。哇——！你怎么回事？叫你吃饭叫了多少遍？妈妈冲进厕所，脖子上挎着围裙，一股葱花和陈油混合的气味飘来。顾秋赶紧抹掉眼泪，拧开水龙头，假装认真洗起手来。

妈妈，夏夏打我。姨妈，夏夏把我的玩具藏起来了。爸爸，夏夏不给我看她的书。你们好好玩，看人家夏夏多听话。他们好像丝毫不在意这些天大的事，继续聊她听不懂的东西。他们紧皱眉头，跷起二郎腿，一个个词儿像游乐园的玩具枪子一样蹦出来：改革，下岗，知识革命，炒股，独生子女。她确信"独生子女"这个词是说她的，便跑去和夏夏说："我是独生子女，你是吗？你是吗？"她以为独生子女专指一个人，是独属于她的。

躺在小床上，四周漆黑，顾秋紧盯着头顶门缝里透出的一道光。门的另一侧，那道狭窄的光的源头是一个没有她的世界。在那个世界中，爸爸妈妈快乐地生活，就像她出现之前那样。她被黑暗隔绝在这一头，第一次感受到自己的不重要。她咬着枕巾的一角，听见他们在说在笑，之后笑声变成了别的声音，像挤过门缝的呼呼的风。

有那么不易察觉的一瞬，顾秋多想长大，太想了，想到梦里都是自己长大后的模样。长大后就能说别人听不懂的话，做自己想做的事，比如把整个冰箱装满冰激凌，看上一整天的动画片，家里的每个罐子都装上水果糖。

我的愿望是希望侯夏夏别再出现，彻底消失。生日那晚，对着跳跃的烛光，顾秋只许下这么一个愿望。

## 十二岁

"侯夏夏，语文老师让你去趟办公室。"顾秋不动声色地从讲台上走下来，努力克制内心小小的得意。

得知和侯夏夏分到同一个班，顾秋难过了一刻钟。一刻钟过后，她一笔一画在日记本上写下两个字——复仇。因为太用力，纸背上透出了黑墨水的印记。她咬着钢笔，记忆之初的惶恐不安和嫉妒一点点漫溯回来，她似乎在无形之中被阴影笼罩，呼吸困难，无人搭救；又像漂泊在一条宽阔的大河里，任浪涛席卷，除了奋力游泳免于溺死，别的都由不得自己。

是我的错吗？她苦笑着推开堆在桌上的练习册和试卷，连夜拟订了详细的"复仇计划"。但很快，她发现这个计划是多余的。第一次期中考试，侯夏夏考了全班最后一名，除语文外，每门科目都不及格。而成绩单的第一行写着顾秋的名字。顾秋捏着成绩单，目光无数次扫过全班四十六个同学的名字，只为了将自己和侯夏夏连在一起。那晚，她梦见自己率领千军万马，踏过冰河，昂首挺进黑黢黢的森林，电光石火间短兵相接，在一股扑鼻的焦土味中一举剿灭敌军的全部兵力。她听见有谁在身边哼哼，大笑，歇斯底里，惊醒才发觉是自己。她心头有什么东西涣然冰释，只觉通体舒畅。

之后，顾秋剪掉了碍事的卷发，留起干净利落的短发；侯夏夏蓄起长发，身体开始发育。顾秋拼了命学习，念书、做题、补课，长期占据第一名的位置；侯夏夏一如既往地和老师顶嘴，翘课，成绩始终在后三名晃荡。顾秋成了老师的宠儿，公开课、评奖评优、演讲比赛、英语竞赛一路披荆斩棘，证书拿到手软，被选作学习委员，负责在每节课老师走进教室时喊"起立""敬礼""老师——好——""坐下"；侯夏夏频繁更换男友，在不同班级门口的走廊上和人说笑打闹，被教导主任批评，被罚站、罚打扫卫生，成了全校有目共睹的"反面教材"。

她们从不一起出现，只在两位家长都来接的时候，假装友好地搭过一两句话。家长会结束后，四双眼睛对视的刹那，空气里浮起疙疙瘩瘩的灰尘。好成绩让顾秋感觉大仇已报，她却不得不承认：侯夏夏依然是美的，美得让人羡慕。一双眼睛格外有神，嘟嘟噘起的小嘴引人注目，高挑的个子，细长的脖颈，腰身挺拔，人群里一眼就能看见她颀长纤细的身影。可惜了，这孩子，这么漂亮的小脸蛋儿。语文老师这么说的时候，顾秋在心里偷笑。走出办公室，撞见隔壁班的男生冲着侯夏夏吹口哨，她才觉察体内似乎有碎石从山巅滚落，那些无关紧要的信念仿佛轰然坍塌。不管成绩单上写着什么，不管有多少人称赞过自己，她依然比自己美，比自己瞩目，比自己更受男孩子欢迎，更容易第一眼就被人怜惜。

捧着成绩单走向父母的顾秋，得到的却永远是那句：不要骄傲，继续努力。从小到大，她知道嫉妒、自卑、敏感、自尊，唯独不知道什么是骄傲。

小秋，你以后要做什么呀？五岁时，顾秋说，我要当科学家。夏夏呢？想做飞行员，飞到外太空。十二岁时，夏夏说，想做服装设计师，设计好看的衣服。顾秋说，想考名牌大学。说话时，她习惯性地望向他们，希望从他们脸上得到哪怕一丁点的赞许也好。除此之外，她不知道自己还能做些什么。

我被谁定义？又被谁打败？十二岁的顾秋还不明白，她用尽力气击败的，不是那个复仇对象，而是自己的最后一点活力；试图摆脱的人，不全是侯夏夏，也有被看轻的自己。

只是这一切，光靠努力就能逃得脱吗？

## 十八岁

妈，我是不是很棒？

嗯，不要骄傲，以后要继续努力。

我是说，我够不够棒？够不够好？

母亲头也没抬，手里的刮刀刮个不停，唰唰唰：这鱼快做不完了，应该早点拿出来解冻的，等会儿你姥姥姥爷就来了。把盆给我拿过来，对，就在碗柜底下。哎，你可别添乱啊，进屋学习吧。

顾秋被推到厨房门口，远远看着一贯操劳的母亲额角的银发闪着微光，眼泪快要掉下来。

这一年夏初，顾秋如愿考上心仪的大学，全家人聚餐庆祝。侯夏夏放弃了高考，准备到国外一所专科学校读设计。顾秋知道，这个夏天往后，侯夏夏和自己的生活不会再有交集了。亲手撕掉夹在日记里的复仇计划书时，顾秋怔怔望着窗外，她曾天真地以为这个夏天能帮助她实现什么。

秋，你坐着的时候记得把后背挺起来，天天就知道学，学得背都驼了，难看死了，你看人家夏夏，仪态多好。父亲厚厚的手掌拍在她后背上，顾秋手中的筷子掉落在地。她弯腰去捡。这孩子，净顾着学习，笨手笨脚的。顾秋把头深埋进桌布，手里的筷子快要捏断了。她咬了咬嘴唇，从桌布底下抬起身子，涨红了脸。

所以说，也不能光学习，这年头，头脑比学习重要。姨夫两年前做了厂长，常把生产和改革挂在嘴边。他当年从大学校园里逃学，被全校通报批评，又跑去和几个哥们倒卖汽车零件，差点被家里人打断腿。那时但凡提起他，家里人就唉声叹气。自从做了厂长，说话自然硬气了很多，声音也不自觉浑厚起来。如果顾秋没记错，当年他曾对"知识革命"的提法不以为然，说：劳动创造价值，知识能怎么地？

是是是，人啊，头脑、为人处世都要灵活，不然学了也白学。来来来，干一杯！父亲附和道，举杯一饮而尽。

桌上的鱼被翻了个个儿。

给你爹满上啊。跟你说，以后到了社会上，得有眼力劲儿，知道不？

顾秋恍惚觉得父亲像是变了一个人。从前他最喜欢说的一句话是"知识改变命运"。他看重她的成绩，在她考第一名时争着去开家长会，会上起身发言，都以"我是顾秋的爸爸"开头，回家高兴得对她又亲又抱。

话是这么说，咱们秋秋也是真用功，回回都考班级第一，考上×大，是咱们家的荣耀。姨妈端起酒杯，瞥了一眼侯夏夏。夏夏，也不祝福祝福你小妹。

顾秋脸上的绯红还没消，心登时漏跳了一拍。这一刻，她从五岁起就在祈盼了——这个叫顾秋的女孩才是真正的主角，是全家关注的焦点，她值得接受所有人的祝福和夸耀，而那个人也必定在其中。每每想到这里，备考时咬着牙扛过来的困意和眼泪，日日夜夜魂牵梦萦的执念，还有时常涌上心头不轻易吐露的委屈和痛，都如太阳底下孤单的冰川，一寸寸瓦解消融。她手里捏着那根不争气的筷子，怯懦地抬起头，难以掩饰眼睛里的期待和快意。

来，我祝小秋妹妹大学生活多姿多彩，找个疼她的男朋友！侯夏夏利落地喝完杯里的啤酒，朝顾秋眨了眨眼，和当年她翩翩起舞前如出一辙。

哄——一桌人都笑了。

这孩子，没正形的。姨妈的语气里有嗔怪，更多的是疼爱。咱们夏夏这张嘴啊，不去做主持人白瞎了。

快吃鱼，不然该凉了。和往常一样，妈妈把顾秋最爱的鱼头夹给了侯夏夏。

耳边的喧闹声模糊了，好像有一股什么力量把顾秋擎在半空中，像当年被父亲抱着穿过客厅那样。她感到身子发软，几乎就要瘫在原地，远远望着一切发生，像水流过河岸，浪涛拍打沙滩，风穿过山谷那样自然，唯独她自己被搅缠在某种隐匿的恨意里，和所有人隔绝开来。饭桌上其乐融融，人们互相敬酒，聊着走向社会的要诀、人际关系的复杂，他们的声音渺远无际，只有一个无比熟悉的声音紧贴在她耳边絮叨：这就完了？就这样完了？

怒气让顾秋几乎失去理智，她摇晃着站起身，手里攥紧那根不锈钢筷子，在所有人的注视下，缓缓走到夏夏身边，用尽最后一丝力气，吐出三个滑稽无比的字：谢、谢、你。然后挪着脚步来到厨房，打开水龙头。客厅的饭桌周围欢声笑语，没有了她，每个人的快乐都不会少一分。"成为主角"这样的妄念，是谁教给她的呢？

宴席散了。顾秋将桌上一根根鱼刺捡进垃圾袋，有些粘在手上怎么都甩不掉。侯夏夏吃剩的鱼头骨整整齐齐地摆在桌边，像一个莫大的嘲讽。顾秋用两根手指捏起它们，一并丢进袋子，胃里泛起一阵恶心。

十几年的复仇，在一句轻描淡写的玩笑话里彻底结束了。

妈，我是不是很棒？

那天的日记本里，只留下这么一句话。

# 二十五岁

夏夏都结婚了，明年就要小孩，你咋还不急啊？电话那头，母亲的嗓门大得整个地铁车厢都能听见。顾秋连忙捂住话筒。接起这个电话太不容易。第一次手机响，顾秋的手被挤在半空，怎么都够不到自己的口袋。第二次正好地铁靠站，一大批人涌进来，车厢顿时变成了沙丁鱼罐头，她差点被挤倒。这一次，刚掏出手机，手指被缠进一个女人的卷发，引来一阵不满的啧啧声。

她是她，我是我。地铁上，先挂了。晚高峰的地铁不适宜接电话。不过多亏车厢里人挤人，不然两条腿站也站不直，顾秋整个人趴在不知道什么人的背上，连喘气都费力。事情才过去七个小时，却像是已经过去了很久。上午十点，她接到老板的通知，让她去跑一个活动现场，报道企业产品发布的情况，然后丢给她对方宣传人员的电话号码。距离活动开始只剩一个半小时。顾秋打了车，冲到现场，却怎么都拨不通那个号码。活动已经开始，她赶紧溜进去，为方便拍摄，坐在了第二排靠边的位置。

"让一让。"顾秋刚要掏出录音笔和笔记本，就被人拎着手臂拽了起来。慌乱中，她瞥见侧门几个穿西装、颇有派头的人在一群人的护送中，朝她走过来。

"你不能坐在这里，这是领导的位置。快起来快起来。"拽她的女人气急败坏，一眼瞄着步步逼近的领导们，一眼瞪着茫然无措的顾秋，声音低沉凶狠。

"尊敬的领导、来宾、亲爱的朋友们，感谢各位光临——"

"可刚才没说这里不能坐。第一排才是嘉宾席……"顾秋把那个没拨通的手机号亮给她看。

"今天是一个崭新的征程，将有十余件新品与贵宾们相见——"

那人再一次伸出手，薅住顾秋的手腕。在所有人的注视下，顾秋第二次从座位上被提了起来，一路推搡到场地的最后，像个犯人。

"别推。"开口的瞬间，她看见几位身穿西装的"大人物"坐进了她的位子，迎宾小姐俯身递过上好的热茶。后排漆黑一片，位子上人挤人。顾秋只能站着，摸黑记录，等待接头的宣传人员和她联系。

"下面要展示给各位的新品是——"

"我已到活动现场，在最后一排。"她发去了消息，把手机调成振动。一直到活动结束，手机依然一片静默。

回公司的路上，顾秋靠在地铁门边，背对人群。毕业两年，她采访过大大小小的人物，频繁的对话和写稿常给她一种错觉，以为自己离那些成功的人无限近，甚至快要成为他们。但当稿件刊发，她行使的作用结束，与他们的最后一点缘分也消失殆尽。他们不记得她，也没理由记住她；他们只须呈现自己最好的一面，不必对她吐露真相。她越来越感觉自己不过是个刨出别人秘密的掘墓人，无须怜悯，也不值得怜悯。

小时候父母口中的"大人物"，就是这样一群人吧？面对他们，周围的人脸上会不自觉写满逢迎，连脊背都跟着弯下去。她学了不少道理，仍免不了被人从椅子上扯到后排。即便怒火已经把人灼得生疼，还是要站着听完那场乏味的发布会，连夜整理好报告，放在老板的办公桌上，才能保住这份收入微薄的工作。

下午，顾秋陪老板见两位重要的客户。酒桌上，其中一位肥头大耳的男人不住地说："哪里找来这么年轻漂亮的小姑娘。"老板大笑了两声，脸皮皱起，一路向上挤到眉眼处，眼神中却是冷漠和敷衍。那是她为数不多被说"漂亮"的一次，内心却静如死水，只能机械地端起酒杯频频敬酒。

七年前，在那次家庭聚会上，她还没学会敬酒，如今却已驾轻就熟。不过是场面话、恭维话、空话、假话而已，只要心一横，脸上堆笑，也能以假乱真。人人都喜欢听好话，哪怕是假的，领导也是人，所以也喜欢听。顾秋的父亲常常把这个三段论挂在嘴上，期待女儿能为多年官运凉薄的顾家蹚出一条路。

那男人一口吞下杯里的酒，隔着玻璃杯向她使眼色，顾秋笑了，分不清发出声音的是自己，还是远隔时空的别人。席间恍神的间隙，她感到什么东西在她腿上来回揉捏，本能地往后一退，发现是那男人的手。

"小顾，咱们公司下一年的投资可就看这两位了，你见机行事。千万记得。"临走前老板这句话又在耳边响起。她识趣地冲那人挤出一个笑脸，然后将酒倒进他的酒杯。有那么一瞬，她希望那是毒药。

当晚返回出租屋，手机振了两下："今天您来了吧？明天可以发稿吗？"是那位消失的宣传人员。

顾秋试着告诉自己，下午那只手都可以忍，被人从位子上扯起来怎么就不能忍？她像往常一样，看剧，发呆，洗漱，但那一幕幕还是在眼前翻滚：众目睽睽之下，舞台上炫目的蓝光，主持人口中的"贵宾"，明明迟到却趾高气扬进场的领导们……脸上的洗面奶还没冲净，她就冲到卧室，抓起手机，打了几个字："不可以！去你的吧！"

想了想，她又删掉那句话，重新敲下一行字："活动很成功，谢谢邀请。最迟明天发稿，晚安。"

## 三十三岁

春节，顾秋回了老家。北漂八年，她终于靠一篇篇稿子成了"前辈"，不用跑现场，不用亲自写稿子，还有了属于自己的办公室隔间，手底下管七八个人，都和她当年刚毕业时一般大，秋姐秋姐叫得亲热。以前觉得三十岁可怕，是衰老的开端，真到了三十岁，反而镇定许多，或许四十岁、五十岁也是这样，远望着骇人，一走近就无所谓起来。人就是这么慢慢衰老的吧。

业绩、职称、奖杯、证书、表彰、奖金，顾秋什么都为自己赚到了。

"有信儿没？"母亲原来问的是成绩，现在问的是可以结婚的男朋友。她在电话这头沉默着，最终用别的话题岔开。沉默的时间越长，气氛越尴尬，像恼人的胶水那样在桌面上漫溢开来，无处躲藏。

侯夏夏嫁给一个房地产开发商，侯夏夏换了一套别墅，侯夏夏怀孕了，侯夏夏要生了，冬儿出生了，冬儿满月了，侯夏夏做了家庭主妇。从母亲嘴里，侯夏夏的一生就像剧情平顺的电影，一幕幕放给顾秋看。顾秋坐在漆黑一片的台底下，除了窒息之外再没别的感受。

年三十，顾秋搀扶着姥姥和姥爷走进饭店。她挪动着小碎步，挤进狭窄的楼梯间，红色羽绒服上蹭了一身的白墙灰。看我们顾秋多懂事。这话听久了，她竟也开始怀疑它的真实性。

"工作怎么样？"姥爷问。

"挺好的！当了主编可比以前累多了！去年还拿了年终大奖！"姥爷耳背，顾秋凑到他耳边大喊，路过的客人和服务员纷纷从半开的门缝往包间里头张望。

"那就好哇。有对象没？"

"还没遇见合适的。遇见了带回来给您瞧瞧。"一如既往的客气话，喊出的声音直发虚，捯了两口气才说完。她瞥了一眼爸妈，不知有意还是无意，他们把头深埋下去，失神地盯着手机。姨妈和姨夫朝他们瞥了一眼，眼神里有怜悯的意味。

"来，爸妈，给你们看看冬儿的视频吧。"姨妈把手机递过来。老人家换了一副眼镜，眯着眼，哆哆嗦嗦地端起手机。手机那端传来婴儿的喘息声、叫嚷声、哭声、笑声、不知所云的咿呀声、打喷嚏声。

"真有意思啊。"顾秋爸爸开了口。"正是有意思的时候。"顾秋妈妈搭腔。"可不是？看孩子可累了，但一看他就什么都忘了。"姨妈嘴上的口红是浓艳的红褐色。"一转眼都当姥爷了不是？真快。"姨夫不做声，在一旁摆弄手机，他显然不太喜欢姥爷这个称呼。

"再放一遍，再放一遍。"姥爷端着手机抿嘴笑，他从来没用那样的眼神看过顾秋。在他心里，男孩总比女孩好，哪怕他患病时给他洗脚、帮他剪指甲的是顾秋，晕倒后推他进抢救室的是顾秋，醒来后替他剥橘子、递热水的是顾秋，过年和他一起包饺子的也是顾秋。"秋和夏夏这一辈缺了个男孩，这回可算是补上了。"姥姥和着冬儿没有节奏的叫喊拍着手，眼边的皱纹蹙到一处，像笑又像哭。顾秋想和他们说，这几年没回家，真想你们啊。想说这几年在外面，经常梦见一家人在一起，看电视喝茶嗑瓜子打扑克，就像小时候那样。没人要求她表演节目，也没人因她笨拙责备她，梦里所有人都是笑着的。她也是。醒来后，枕头上湿答答地凉。

咚！窗外的烟花当空四散开来。在这个萧瑟的冬夜，一家人都忙着说说笑笑的饭桌上，洋溢着与欢喜无关的气氛。红的，绿的，黄的，紫的，一眨眼工夫，烟花消散，除了空气里的硫黄味，那些光华仿佛从未出现过。

顾秋站起来，一筷子夹起饭桌中央盘子里的鱼头，放进自己碗中。浓黑的酱汁顺着鱼头滴进米饭里。她低头自顾自啃了起来，有点腥，有点咸。

原来鱼头也没那么好吃。

2017 年 12 月完稿

家门

十四年后，我终于回家了。

院门口槐树底下，胡乱停放的私家车之间的狭小空间里，我提着行李箱，提手上的飞机托运单还在，脚步却一丝都挪不动了，像是被什么东西牢牢钉在柏油路上。

远远地，我看见了她。

她头发已经掉得差不多了，脑袋顶上中分的缝隙几乎是秃的，银白色的短发远看去像一层薄薄的塑料皮淋了雨。如果不是她抬起手，向空气中摆了三摆，我差点认不出她。要知道年轻时那双大黑辫子可够她骄傲的。是她，没错。摆手的姿态一点也没变，手举过头顶时眼睛闭住，头偏向一侧，和她当年对着我摆手一模一样。她顺势望向我这边，我忙蜷起身子，缩到树后，胸口突突直跳。她转过身，继续和邻居们搓起麻将，蒲扇摇得飞快。我心一横，转身离开了。

从旧金山飞了将近十六个小时，才降落在灰蒙蒙的 Y 城。过去十年，我经历过两段失败的感情，仿若身体的炉灶刚添一把柴火，冒过几缕薄烟，火刚烧起，又被冷不丁抽走，只剩细土般的暗青色灰烬。绕地球兜了大半圈，回来后还是一个人。如果说要怪罪谁，这一切都是因为那女人。我不想提母亲两个字。我无法原谅她。

我结婚算晚的，九二年嫁给下海经商捞到第一桶金的刘宏新时，虚岁已经二十八（那个年代算晚婚）。我们的结合就像儿戏。母亲上街买鱼，路上碰见同乡，聊起家事，顺便就把我给"交代"了。你闺女多大？我儿子大她四岁。那正好。母亲担心塑料袋里的鱼放久就不鲜了。就是这句该死的"那正好"，或者说就怪那条倒霉的鱼，我们四人第二天一起吃了顿不冷不热的饭。母亲在席间表现得极为开明，说什么"闺女的幸福就是我的幸福，也是她爹的愿望"。我讨厌她拿我父亲说事，更烦她擅自绑架我的幸福，恨得牙根直痒，吃进去的肉和菜不知是什么味道，竟忘了多看对方几眼，只记得那人一笑眼睛眯成一条缝，讲话慢吞吞，不像坏人。好人和坏人——这神奇的二分法居然成了我衡量结婚对象的唯一标准，和看那个年代的电影如出一辙。现在想来不可思议，虽然那时我已快三十，对结婚二字一头雾水，没隔个把月却成了一场婚姻的主角。

刘宏新是工厂厂长，手握一个厂子从进货到用人的实权。逢年过节，我们家从不缺年货，杭州的丝绸，海南的水果（平生第一次吃到芒果和香蕉），别人托人送来的布票……我真嫁对人了。可算离开了从前那个死气沉沉的家。

事情急转直下从来没有预兆——如果说和刘宏新的婚姻给了

我什么启示的话，只有这一点。那天早晨一如往常，我起床后在家收拾房间，擦拭床头柜上那块他常戴的金表，心里想着以后厂里不忙了，也一起出个国度个假，享受享受。从前"享受"这个词和罪恶相连，那时却开始时兴起来，人人口口相传，却对它的意思似懂非懂。结婚不到半年，刘宏新就让我从小学辞掉工作，每天收拾照顾家里（当时还不兴全职主妇这个词）。那时我虽干劲十足，但一想吃穿不愁，还不用每天面对情绪不定的学生、生一肚子窝囊气，很快就接受了。

擦拭，清洗，归置，买菜，做饭，做完家务，差不多已到傍晚，等到六点左右，他就该回家了。只是那天，手上的金表嘀嗒嘀嗒走，直到晚上他也没回来。打电话到厂里，接电话的支支吾吾，一句完整的话都说不出，后来干脆挂了电话。到了第三天还是杳无音信，至此我也没想到他是丢下我跑了，以为是遭人劫持，还傻乎乎地报了警。和警察前后脚找上门的，是一群催债的盲流，半夜里疯狗一般砸门踹门，用红油漆在楼道里喷上"刘红（宏）新去死"，惊叹号一个比一个长，直戳进我心里。让人难过的倒不是这些话，而是和你同床共枕两年的男人，不打一声招呼就从你的生活中彻底消失，仿佛从来没有存在过。桌边的蜡烛烧了一半，烛泪凝在烛台边上，冰箱里的生日蛋糕还剩下一角，而给我制造惊喜的那个人已不知去向。

来讨债的人三三两两聚集在楼底下，来回盘问路人"刘宏新死哪儿去了"。好在住在这里两年，我们和邻居来往并不多。唯一认识的是隔壁刘姨，她神情夸张地劝我出去躲一躲，仿佛我家里着了火，生怕连累了她一家。我边打包边哭，虽说刘宏新人间蒸发快半个月了，我还是不信他会丢下我不管，我抿住嘴，尽量不让自己号啕大哭。其实我是在默默期待敲门声，期待钥匙孔插入钥匙的咔哒声。打开门，我想抱着他大哭一通，安慰他说没关系，厂子倒了人还在，人在就能东山再起。可他再也没给我机会。催债的人手握木棍，在我家门口烧起了纸，浓烟顺风飘到屋里，熏得我睁不开眼，眼泪止也止不住。有那么一瞬间真想打开门大喊：搞死我吧！我和他刘宏新没半点关系了！但我害怕，不敢开门，不敢报警，一起身就感到脚边的土地轰然塌陷，坠入无风无声、时间停滞的深渊。手脚发麻，天昏地暗。我只是哭，哭倒在床上。

醒过来时已是夜里七八点的样子，天全黑了。我在窗前呆坐了好一会儿，空气里烧纸的糊味还没散尽。楼下路灯的黄色光晕里，一丛丛飞虫在试探、冲撞，不舍得离开，靠得太近又烧死在灯泡上。就像我。开灯，灯却不亮。他们可能已经从外面掐断了电线。该离开了。黑魆魆的房间里，我摸黑把衣服和首饰塞进结婚时我妈送我的唯一一件嫁妆——蓝灰皮革箱里，某处内脏不住地颤抖，两只手不听使唤，眼泪也早流干了。我拦了辆拉货的三轮车，拖着皮革箱灰头土脸地逃命。骑车的大爷见我失魂落魄的样子，不敢问，也没要钱，只顾闷头往前蹬。

约莫半小时，三轮车停在了父亲铁路局分的砖红色房子底下，以前我住了二十几年的家。母亲开了门，屋里光线昏暗，只有内屋的电视机嘶嘶啦啦地唱着。旅行社的红鸭舌帽底下，母亲露出惊恐的神色，她像是不认得我，凑近了，迟疑的目光落在我脸上。时间凝结。简单的一声"妈"梗在喉头。

她摆摆手，让我睡在父亲那屋的地板上。父亲去世后，他的床成了储物架，摆满了没用的商品盒子和废旧报纸。她没问我为什么来，刘宏新去哪儿了。她什么都没问，什么都不关心，又坐回电视机前看起了歌舞节目，嘴里念念有词。第二天，她掐着皱巴巴的记账本，计算起住在"她家"的费用，煤气费，水电费，每顿饭的成本，连早餐喝的奶粉、吃的苹果都计算在内。她戴着老花镜，镜框卡在鼻尖上，看我时翻起松垮的眼皮，露出浑浊的眼白。等她最终说出那一串钱数，我心里最后一丁点火苗也随之熄灭，黑洞洞的，整个人被掏了个空。

"我是你闺女，你都不肯通融吗？难道要我拿首饰来抵？"

我喊出的话带着颤音，嘴角忍不住抽搐，眼泪下一秒就要喷涌，但我死死咬住嘴唇，拼命忍住。像这样冷血的女人，不值得我在她面前哭，那无异于在猛兽面前流了血，露了短。

"通融？谁通融我？明天谁通融你？别指望全世界都围着你转！你算老几啊？"

她生气时五官揪在一起，眼睛不再浑浊，闪出凌厉的凶光。站在对面的这个人不像是我的母亲，倒更像毫无人情、视财如命的包租婆，或是在街边偶遇的疯婆子。

"你疯了！我没钱给你！错了！我有钱也不会给你！"之前听

人说，人生气时呼出的气都是黑色的，我那一刻感觉心肝脾肺肾都被染成了墨一般的颜色，每吐一个字，鼻孔都散出一道黑烟。

"刘凤湘，你可以走了。出了这个门，咱俩不认识。"她说完，就把手里的记账本摔在地板上，冲我摆摆手，充满血丝的眼睛瞪着我。

我的人生轨迹就此被改写。如果母亲肯继续收留我，我们也许会重归于好，不排除一起生活的可能。我再不喜欢她，也知道她受的苦够多了，想为她做点什么。但她替我关上了这扇门，锁得死死的，而我没有钥匙。

跌跌撞撞下楼，不知怎的，脑海里一幕幕都是惨剧：我被讨债者棍棒相加，刘宏新在背地里窃笑，我和母亲老死不相往来。多年前的一天，我生命里最黑暗的一天，像卡了带的磁带，一遍遍回拨，命运用黑色的刻刀将它牢牢嵌入我的皮肤，翻出血肉。每碰一下便袭来抽筋拔骨的疼痛——一九七一年十月六号，父亲从江中被捞起，肿胀得不成人形，他卧在一块透明塑料布上，陷进被雨水打湿的泥土。我跪在妈妈和姐姐身边，反复念同一句话："我想回家。我想回家。"我不明白我们三个为什么要跪在脏兮兮的泥地里，为什么要挤在混乱的人群中，为什么要对着一个根本不像爸爸的人哭喊，为什么不能回家。如果姐姐说的是实话，父亲的死和母亲脱不开干系。

从记事起，父亲便是个影子一样的人。他常年在火车机务段工作，那时的火车烧煤，父亲有时铲煤，有时轮班开车。因为工作忙，他常常在我们睡沉后才回家。他在衣橱左下角的抽屉里偷藏几块大白兔奶糖，再用花布盖上。我和姐姐都记得他说过的那句话："乖乖听妈妈的话，第二天起来就有糖吃。"我们开始还真以为糖果有灵，只要听话就会出现，直到有一晚装睡时，看到父亲偷偷放糖时隆起的肩膀。一个人的背影比面孔要多情。父亲的背影，母亲的脸，一个是温情的美梦，一个是惊悚的噩梦，两个天差地别的人怎么会生活在一起？我想不通。

十月六号是没有糖的日子。之后再也没有了。姐姐说，前一天的晚上，母亲和父亲大吵了一通，大概和父亲不肯检举揭发他的老领导有关，母亲口口声声说父亲连累了这个家。父亲和别人不一样，姐姐说，别人任他是谁，都肯随便说几句胡话，就为了自保，可咱爸不是那样的人。

第二天，父亲便出了事。

不幸。自从我学会这个近乎悲壮的词，父亲就是那个和它相配的人，而母亲则是自作自受，不值得怜悯。从那天起，家里的唠叨多了，饭桌上的剩菜剩饭多了，父亲在她口中成了不为别人考虑的"老头子"。我们之间仿佛隔着一座冰山。

母亲朝我挥手的决绝刺痛了我。我万念俱灰，想起远在美国的姐姐。我用红布兜收好带在身上的首饰，拿去金店典掉，换来几张旧票子，饿着肚子挤上公交车，到邮电局排队，填表，打国际长途，一分钟十六块，说了足足五分钟才讲明我的处境，那几乎是我身上所有的钱。

到美国的第一晚，我把头埋进沾有香水味的被子，欲哭无泪。一半是因为远离家乡，一半是因为姐姐。多年不见，她的神态和脸上的纹路全数继承了母亲，她对我笑，我却感觉不到亲情和温暖；她摇头表示遗憾，却像对着街上的乞丐那般置身事外。我接受了她提出的房租价格，因为语言不通没处可去，只能安慰自己说，这是美国人的习惯，怪不得她。唯有这样，才能从绝望中暂时解脱。

　　为了还清房租，我在比萨店里切过比萨，给家具店扛床垫，替老得不能动的人遛狗，在商场里向华人兜售化妆品，给社区学校擦过地板，在饭店后厨刷盘子、洗地，因为没身份，时薪低，只要别人乐意聘请，我就拼命干活，有时同时打几份工，比墨西哥、菲律宾、印尼来的人都勤快。几年时间攒了点钱，终于在旧金山郊区买下一处年久失修的老房，逃离了姐姐，过起独居生活。没人认识，没人惊扰。我醒着就玩命工作，饿了就大口吃饭，夜里倒头便睡，别的一概不想，一概不念。因为我知道，只有像蛇一样冷血，没有温度，不念情面，才能不受伤，也就不需要时间舔舐伤口。就这样，我忘记了上一段婚姻，忘记了之前发生的大大小小的伤心事，渐渐成了没有根也没有未来的人。无论对谁，我都不抱怨，一个人的时候更不为过去的事后悔，不去想以后怎么办。人哪，一旦没了退路，就比刀枪剑戟还坚韧。唯一还能挑动我神经的，就是独自一人走夜路。家附近的路灯灯泡被人拧走卖了钱。寂静无人的黑夜，鸦鸣遍野，我竟怀念起小时候和姐姐手牵手走过的深夜巷口，还有母亲哄我入睡时轻轻哼唱的歌。后来我买了辆不知是几手的车，再不敢独自走夜路。

保罗的出现弥补了空洞。同居七年，无非搭伙过日子，说爱也没多爱，只不过凑巧在彼此的空当里认识了，像饮食男女那般满足对方的需求，让日子不再那么难熬。原先我以为自己爱刘宏新，可分开后这个人的面孔早就模糊了，偶尔想起，心里不疼不痒。我以为自己爱保罗，可当他说分开，我没多说一个字挽留。他不能忍受我用"结婚"二字反复试探他，我也受够了他凡事都AA制，像极了我那绝情的母亲和姐姐。

分开后，我失去了继续独居下去的胆量。无论怎么劝自己，这里都没什么值得留恋的了。我决定回国。

十四年后，我回到Y城，看见了母亲。

自那之后，每隔一段时间，我就回去看一眼，站在院门口那棵老槐树底下。我说不上自己为什么要去，为什么始终不肯上前说一句话，我们为什么不能像别的母女那样自然地聊起家长里短，无所谓地开开玩笑。这些都是太宏大的课题，仅凭我一个人的力气解不开。

久而久之，我摸清了母亲的"行踪"：早上七点到菜场买菜，她喜欢将两兜子西红柿和芹菜系在一起，一前一后扛在肩上；她站在摊子前挑苹果，眼睛紧贴上去，好像要把整个苹果塞进眼珠子里，然后用大拇指从头到尾摸上一遍，确认没有破损再丢进布袋。下午两点，她出门遛弯，有时到家门口的凉亭打扑克，为谁该坐在阴凉的地方争得面红耳赤，不用猜，总是她赢。不知道是不是因为耳背，她的说话声永远是人群中最大的，还没进院子，就能听见她高高吊起的嗓门，音调比年轻时训我们还尖锐。她热衷于和人吵架，吵的时候一根手指指天，好像那里有谁在看，虽然已经掉光了眉毛，还能隐约看到她眼睛上方一弯肌肉在用力颤抖，像准备进攻的母狮。晚上七点之后，她多半在客厅看电视，三楼的窗口黑洞洞的，交替闪烁着蓝色和黄色的光。有几次，我就站在三楼楼梯口左侧的漆红色铁门前，用手摸一摸生了锈的圆形门锁，锁眼周围都是钥匙戳出的凹痕。门上挂的春联卷起的残角上积满灰尘。我甚至能想象她一个人提一桶熬好的糨糊，反复比量着贴春联的样子。

小时候，每到春节，家里煮猪肉白菜馅的饺子，父亲和母亲不在那天吵架，只哄我和姐姐开心。在国外的这十几年，我不过春节，不和人提起过去，用尽一身气力忘记这个家。可什么是家呢？眼前这扇熟悉又陌生的铁门吗？还是屋里那个生下我，养了我二十几年，到头来却不肯收留我一起生活的女人？是那个一头栽进江水里早早死去的面目模糊的父亲？远在美国的姐姐？给过我幻想却悄无声息消失的刘宏新？和我同样恐惧婚姻又频频试探的保罗？我蹲在家门前，眼泪扑簌簌滚落，直到邻居家有人出来，门锁一响，才扭头下楼。

之后的若干年，我从未鼓起勇气敲响那扇门，也无法知道那扇门打开后，得到的是冷漠的挥手还是热情的拥抱。我偷偷摸摸地上楼下楼，害怕相遇，又默默期待一次不经意的迎面撞上。我需要一个理由，一句说得出口的借口，才能在面对她时不那么慌张失措。

再见母亲时，她已不能说话，不会挥手，不会拥抱，也不会谩骂了。她躺在窄窄的病床上，小小的，像一颗干枯的火柴头。急救医生在她随身携带的卡片上找到了我的电话号码，我不知道她是怎么知道这串号码的，也不知道她出于什么心情把它写在那里，挂在胸前。电话那头，医生语气平淡：人快不行了，还有一口气。

赶往医院的路上，脑袋和身子都是空的，像一块碎纸片那样轻飘，每一步都像踏在棉花里。我无数次预设相见的画面，也曾设想自己紧握住她的手说，算了，妈，我原谅你了。我想拨开她额前稀疏的银发，认真看一眼那张以前只能远望的脸。

我真这么做了，只是她感觉不到了。

在医院的楼梯里跑上跑下，把自己的名字签上十几遍，我甚至不知道也不想知道那些文件上写了什么，它们无非都印证了同一个事实：母亲不在了。

等医院的工作人员离开，我莫名其妙地想起母亲说过，"凤"是她的乳名，"湘"是父亲的老家，姐姐的"皖"是母亲的故乡，我俩的名字凑在一起，就是一个家了。

整理母亲的遗物时，我从堆满杂物的床底翻出一个生了锈的铁盒，用碎花布包裹着，花布上落满灰尘。碎花布包着的，只能是爸爸的大白兔奶糖，不能是别的。恨意再度袭来，我气母亲毁了这个家，可惜不能当着她的面骂出来。

要收拾的东西太多，铁盒又太不起眼，被我丢到一边。我不想再住进这个家，于是想到卖掉它。中介上门，转了一圈，末了，将燃烧的烟蒂踩在脚下，在母亲那屋的地板上蹭了蹭，说：都清干净吧，放这儿也是当垃圾丢掉。

房间清空的当晚，我躺在暗红色的皮革地板上，望着眼前天花板上的水渍和翻起的墙皮，感觉自己经历了太多荒唐事。

我双脚并拢，张开双手，像是被钉在十字架上，任人捶打，心如死灰。无意间右手碰到了个硬疙瘩，是落在墙角的铁盒。打开，里面一沓被抻平压扁的包奶糖的纸，泛了黄脱了蜡。糖纸底下，压着一捆爸爸单位的稿纸，纸页下方印着 Y 城铁路局的淡绿色小字。每张纸上面写一两段话，字迹娟秀。


国滨：

　　你走之后，家就不像家了，没人和我吵架了。

1971 年 10 月　凤


国滨：

　　小皖决定到美国去，我偷偷哭了一夜。

1980 年 6 月　凤

国滨：

　　今天闺女大喜，你若在，该多好。

1992 年 4 月　凤


国滨：

　　我把闺女撵出了家门，做了不是人该做的事，会遭你恨，遭你骂吧？我们这代人，失去的太多了，所以连到手的都要假装撒手，就为了看她还会不会回来。我原想让她知道，人生最艰难的时刻，也要一个人挺过去，不把自己逼到绝路，就永远学不会独自生存。

　　可她走了，我的心也空了。我是不是做错了？

1994 年 12 月　凤


国滨：

　　今天是千禧年的大年初一，大闺女的生日，她去美国已二十年。我那时偷偷告诉她，要留下妹妹，但不能白吃白住，家人是可以依靠，但她还得靠自己活下去。我们从前就是这么被敲打着长大成人的。不知是幸，还是不幸。

　　以前都是你和她们最要好，我老爱让你传话，糖纸我还留着，闺女却不见了。你知道自小我娘打我打得凶，爹也不管，所以我不知道怎么和她们好好说话。你要在，就好了。可你要是在，我说不定还得和你吵。真作孽。

2000 年 2 月 5 日　凤

国滨：

　　今天她回来了，虽然没和我说话。我看见她了，她应该也看见我了。

2008 年 8 月　凤

国滨：

　　我们俩只隔着一扇门，她在外面哭，我在屋里哭，不知道打开这扇门要多久。

2011 年 3 月　凤

2018 年 4 月完稿

闯入者

她早该知道的，儿子有了女友，并且住在了一起，可还是自我麻痹，装傻充愣，在儿子的公寓赖了大半个月，看他心不在焉地陪着自己。

她壮起胆，编造种种理由去看他，其实为的是暂时躲避另一个男人。她还想亲口问问儿子，到底该怎么办，虽然她不确定他是否知道答案。

从新西兰回国，躺在自家床上，孙淑兰才慢慢回忆起那些几乎不可见的细节。房间里似有似无的香水味，是淡淡的水果甜；卫生间洗手池旁边的柜子里，落在洗漱用品中间的小耳坠；还有睡觉前频繁响起的短信提示音，儿子上扬的嘴角，不是普通朋友那么简单。她替自己的偷窥欲害臊，鼻根和喉咙口涌上来的却是酸，像牙疼似的，隔了好些天也摆脱不掉。

三年前的秋天，正是满城落叶的时节，院门口铺满卷皱的枯叶，踩上去酥酥软软。她送儿子到新西兰留学，看着儿子穿一身松垮的黑风衣，耸耸肩膀，挎个双肩包消失在人群中，头也不回。

孙淑兰劝自己：该来的总会来，孩子翅膀硬了是好事。

回到家，一间空房，看电视都带点回声。她削好了苹果，捏在手里，看着它氧化成铁锈色。她拿起电话，拨通物业号码：院门口那儿叶子太多了，碍脚，什么时候来个人清扫一下？

晚饭时间到了，她盯着钟表，心里盘算吃什么好。打开冰箱，里面都是儿子爱吃的菜。太多年了，她差不多快要忘记自己爱吃什么。跑到楼下的超市，买了颗小时候最爱吃的榨菜头，放到砧板上，用菜刀一片一片削开，橙红色的酱汁纷纷滴落。

儿子在天上飞，丈夫还在下班回家的路上（他不肯去送儿子，说是怕哭，大男人掉什么眼泪，真是）。切完最后一片，齐整整地垒在盘子里，好大一盘，两个人吃不了。她想着怎么用小碟盛好，分次吃光。找碟子费了不少工夫。当她把榨菜分好，用保鲜膜封牢，眼泪终于掉下来。

她不知道该怎么独自生活下去。


她不是一个温情的妈妈，至少在儿子看来肯定不是。她用自己经历过的方式教育和敲打他，希望他成为顶天立地的男子汉。她讨厌男人哼唧着说话，讨厌男人撒娇，讨厌男人办事不利索，讨厌男人一无所成仰仗别人。她就是被当男孩养大的，不许哭，不准当众服软，就算被母亲狠抽耳光，也绝不哭鼻抹泪。眼泪在她看来是耻辱的等价物，泪腺是人体最无用的部分。

儿子五六岁，被邻居家小虎欺负，哭着跑回来告状，鼻涕抹

85

一脸。她二话不说，提溜起他的袖口找到那小子，厉声告诉儿子：下次这档子破事儿，别来找我！他怎么打你的，你怎么打回去！她期待儿子像头野生老虎，不管不顾扑向猎物，撕咬，流血，昂头迎接胜利。却见儿子一愣，号啕大哭，脸憋得通红，一抽一抽快要晕过去。她气不过，边骂那小子边揍儿子，夜里才觉出手掌心生疼。

还有一次，儿子和她要一辆电动遥控车，就摆在家门口的百货商店橱窗里，四五十块，抵得上半月工资。她本想买来送他做十周岁生日礼物，后来心一横，在经过橱窗时，指着那台遥控车和他说：王一潇你给我记住，这世上，不能什么都是你的。儿子仰头看她，那眼神她至今都记得，里头有不解，还有发誓与她一刀两断的决绝。他用力跺着脚，扭头走了，好几天不肯理她。

哎，还记得你小时候欺负你那邻居吧？好像叫小虎来着。儿子跷着二郎腿，正在脸书上和人互动，紧盯着手机屏幕，大拇指翻飞：不记得。她没敢提遥控车的事儿，他一定恨死她了。


在新西兰的奥克兰机场看见儿子，他还穿着那件黑风衣，开辆奶白色的车，车门上喷着五颜六色的她不懂的符号。她想走过去抱抱他，毕竟两三年没见。每年春节他都在上课，圣诞节假期又和一大群朋友跑出去玩，平时顶多视频一下，聊的都是新西兰的空气多好，食物多匮乏，至于学上得怎么样，考试怎么样，交女朋友了没有，一概不谈。他身边有太多能和他聊这些的人。他早就不是放学后牵着她的手、给她讲班里的事的小孩了。

最近这两三年，儿子不时闯进她梦里，仍是小时候的模样，噘着小嘴好像在生气，一转眼又跑不见了。她找啊找啊，在人头攒动的商场，在无人的森林或旷野，在车流涌动的交叉路口，在幼儿园后院那条熟悉的长廊。哭醒了，想起儿子早不在身边，抹干眼泪擤擤鼻涕，蒙起头继续睡。她总以为自己弄丢了他，可他明明好端端在那里，在家里床柜上的相框里，在手机屏幕后头，在越洋电话那头。

妈，能不能把床头我那照片换一张？丑爆了。儿子说过。她假装忘记了。照片里，他们一家人登上泰山，披着临时买来的塑料雨衣，龇牙咧嘴笑。孙淑兰记得很清楚，那天淅沥沥下着小雨，下山的台阶湿滑，像被谁洒了层薄薄的蛋清。老公从身后提拽着她的背包，儿子在一旁死死攥住她的手。他们那时都迫切需要她。那时全家人还在一起。

她绕过跑车，径直走过去，正想张开胳膊，儿子低头扛起地上的行李箱，哐当一声塞进后备厢。她拍了拍儿子的肩膀，算是抱过了。

他再不是那个拎起袖子就走、伸手就能打到屁股的小淘气包，个子蹿到一米八多，不过是一眨眼间。孙淑兰忘记从什么时候开始对他有所惧惮，也许是高一时因为他成绩烂骂了他几句，他不吭声，瞪着她，瞪到眼睛充血，她慌忙移开视线。也许是她没忍住，偷看了他的日记，他发现后把那本字迹潦草的日记撕个稀烂。也许是她赶到学校时，看到他正和一个男同学在篮球架底下缠斗，几个人都拉不住他，她声嘶力竭喊停，眼前那个熟悉的人像头不受控制的猛兽，鼻子流着血，一半校服拖在地上，回头看向她时仿佛不认识她，她吓得快哭出来。

和他并排坐在车里。车载音响里放着她听不懂的音乐，伴着念叨、嘟囔、呻吟，音效夸张，耳膜咚咚响。她几次想求他关上，让她安静地看看风景，但没出声。儿子是个娴熟的司机，换挡，变道，停车，介绍公路旁的山坡和湖泊。要是当初给他买那辆遥控车就好了，她想。

翠绿的山丘高低起伏，零星点缀着吃草的羊群，一座座红顶小木屋堆叠在山脚。城市就在不远处的海边，视野里的蓝色和绿色都是干干净净的。小路上没什么人，车库能容下两辆车。院子里架起烧烤架，角落里栽着一棵树，结了一树红彤彤不知名的小果子。草坪平整，阳光从落地窗洒进客厅。这是儿子生活的地方，比她年轻时强百倍。就冲这点，她不该后悔送他出来。

可她还是后悔。

如果儿子在国内，她也可以像同事那样，寒暑假带他买新衣服，过年时替他换洗上个学期攒下来的衣服和被褥，平时靠搓洗穿脏的内裤和袜子打发时间。那样她或许不会觉得自己做母亲一无是处，儿子也不会和她形同陌路。假如儿子在离家不远的地方，家里就不会资金紧张，丈夫也不会拿出全部积蓄跑去炒股，更不会因为这事和她撕破脸，搬到大伯哥家住。

这个家是从哪件事开始支离破碎的呢？儿子消失在人群里的背影？生了锈的苹果？榨菜的酱汁？还是儿子每学期开学前发来的待缴的学费单？起伏不定的股票 K 线图？春节时屋外礼花炮竹的空洞回响？

让她奇怪的是，她竟一点也不期待接下来十几天的共处。开启话题太艰难了。她怕和他单独待着，不知道除了空气和水干净，还能和他聊些什么。


高中时他住校，三年下来母子相处的时间只有周末的两天，还要用来补课。他只在晚饭时出现，埋头吃完，撂下碗筷进屋。留给她的只有房间里的一个背影，永远在低头鼓捣些什么，篮球杂志，电影期刊，日本动漫的卡片，音乐专辑，都是她不了解的事物。她时不时送洗净切好的水果进去，送感冒药进去，送温开水和果汁进去。她像一个仁慈的看护，因为太孤独，所以在职责之外想多和他说说话，多看一眼他长大了的脸，想亲口告诉他别离开她，留在这个家，直到娶妻生子，她会对那姑娘好，不会找她麻烦。她甚至可以帮他照顾孩子，为孩子洗尿布，喂温热的奶粉，陪孩子识字、玩游戏。她什么都能做，只要他愿意。

"多喝点水，嘴唇都干了。"最后她只说了这么一句。他用鼻子哼了哼，当作回答。

再早些时候，儿子读初中时，她在备考会计资格证。那时她才四十刚出头，事事要强。园长开会时说，缺一位既了解园里情况又办事麻利的会计，她便主动请缨。会计的工资每月比老师的工资高出一百块钱，一年就是一千二百块，攒下来给儿子上学用。园长给她一年时间。她白天上班带一个班的孩子，晚上骑自行车横跨市里的三个区到夜校学会计，回家后再熬夜背题。第一年没考过，第二年过了。会计的岗位早就来了新人，比她更年轻更专业。但不管怎么说，她还是做到了，虽然没了那一千二百块钱。挺长一段时间，她都喜欢把这件事挂在嘴边。"潇潇，你得学妈妈，什么事只要坚持，没有办不成的。""以后咱儿子就得像我，千难万险都不怕。"她不晓得，儿子最需要的不是这些话，而是解题方法、日渐起色的考试成绩。他需要的解释还有很多，比如身体的变化、躁动不安的情绪、无处释放的愤怒。她通通不知情。

开启话题即便难如登天，谁想最后难倒她的，竟是微波炉和洗衣机这么简单的玩意儿。怎么设定时间，怎么开始和暂停，怎么设定模式。她端着一盘生牛排深蹲下去，眯着眼用力读那些毫无意义的字母，直到儿子推开她，三下五除二弄好。牛排的血水淌进她的袖口。

什么都变得意义模糊。路牌上的标识，景点前的导游词，超市里的分类标签，蔬菜水果的称重方法，自助付款的次序，排队的方式，打招呼的回礼。就连走在路上，儿子都不耐烦地说：别总指来指去的，不礼貌。别总贴人家那么近，不好。别抢，来得及。你别动，我来。

一个莽撞无知的中老年女人。在别人眼里，自己大概就是这样的形象吧。

儿子上幼儿园那会儿，她就是他的神。她教会他穿衣服，系鞋带，教会他打预防针时咬牙闭眼忍住疼，教会他算术、拼音、写字、和人打招呼的方式。她给他买最贵的进口蜡笔，穿体面的衣服，让他在小伙伴中树立威望，不受人欺负。妈妈！只要在幼儿园见到她，儿子就踮起脚伸长脖子隔着人群喊她，嗓门洪亮。她那时多让他骄傲啊。她年轻，长头发乌黑发亮，戴镶小钻的黑发箍，穿发旧的束腰牛仔裤、白衬衫，都是那时最新潮的搭配。她是全园最受欢迎的老师，能边弹琴边唱歌；午休时给每个班送一大盆洗好的苹果和梨；带他们到公园秋游，替他们摘树上发黄的秋叶。她无所不能。

从前在家里，也是她替丈夫和儿子打点一切，几十年从没出过什么差错。现在一不留神，她就成了差错本身。


旅途中唯一一次骄傲是替儿子骄傲。那天两人从基督城开车去特卡波湖，几个中国游客在公路加油站的机器前一筹莫展，琢磨怎么加油，怎么用信用卡付费。儿子大步走过去，三下两下搞定。她嘴里说：看见外，都是中国人，出来要互相帮衬。嘴角止不住上扬，客气里带着得意。扭头一看儿子，早回到车上，从摇下一半的车窗里看她，一脸嫌弃，像看路边讨饭的叫花子。

我回去就学英语。她上车后赌气似的说。

别学了，不用就忘，也就这十几天，何必呢。

也就这十几天，大概是他的心里话吧。陪这个没用的妈妈挨过十几天，他便重新回归自由。不用怕她晕车而故意平缓地开车，不必躲在餐馆外吸烟，不必在玩手机时假装友善地和她搭话，不用烤牛排时顾及她的牙口。和他那群好朋友开车出游时，也不必带上中国超市买来的电饭煲、烧水壶、麦片、方便面、榨菜，不用在麦当劳和人臊眉耷眼地要热水，不用在爬山时停下来等待，也不用在她睡着后轻手蹑脚，努力弥合两代人的作息时间差。明明是母子，却这样勉强地生活在一起，连她自己都觉得太唐突了。

她不知道平时和他一起度过周末的都是些什么人。他们会不会劝他喝下太多的酒，在他喝醉后会不会把他平安送回家。会不会有女孩和他接吻，会不会有外国姑娘对他好。他会不会像大部分男人那样惯于说谎，骗女孩上床然后随便抛弃。他会对她们好吗？还是和他爸爸一样，好像只是随便娶了个老婆回家，然后稀里糊涂一辈子，做什么都三心二意，让她扛起整个家的重担？

来新西兰之前，这一连串问题常常让她彻夜难眠，她拿出当年考试的劲头，翻来覆去苦想出一百种可能，却无法证实任何一种。她想打电话给他，干脆问个清楚。他懒洋洋的声音从电话那端传来，她费了半天力气，只吐出一句文绉绉的傻话：天冷别忘添衣服。

特卡波湖是做梦的地方，不适合垂钓。她踩在湖边厚实的落叶上，露水打湿了靴头，山和天浸在雾气里，和湖水一样，都是朦胧的淡紫色。几只野鸭从湖面游过，荡开三两道波纹，之后一切回归宁静，只有芦苇秆在风中打出唰唰声，轻极了，静极了。偶尔有几只棕色的长耳朵野兔从草丛中奔过，踩扁几株紫色的羽扇豆，消失在树后。

孙淑兰望一眼不远处的儿子，他正奋力挥舞手里的鱼竿，一遍遍将钓鱼线甩进湖里。一次，两次，他看上去那么不耐烦，那么气急败坏。来的路上，他把一张英文的垂钓许可证亮给她看，说自己曾经不费吹灰之力钓起一条鳗鱼，像蛇一样长，在院子里烤一烤，美味得很。

她不在乎什么鳗鱼，只想让他别再和钓鱼竿过不去，陪自己踩一踩被露水打湿的叶子，在湖边拍几张看起来显年轻的照片。她想和他聊一聊，那天院门口的枯枝败叶被清走后，自己经过那里时内心空落落的，有多后悔给物业打了电话。有几次，她经过小区的垃圾桶，甚至探头寻过那堆无关紧要的树叶，固执地想重新铺回去。

她想和他聊一聊，他上大学第一年，家里进了贼，偷走了两架老照相机，里面存着陈年的旧胶卷，都是他小时候的照片。每次想到这里，她都觉得胸口一阵紧缩，仿佛正被一节钝器一寸一寸戳进去。她想说，逢年过节多希望接到他的电话，盼他说今年回家，这么四个字就足够了，够她乐呵好几个晚上，靠安眠药才能争取些睡眠，不过她不在乎。她会在他回家前用他爱吃的东西填满冰箱，去超市买新拖鞋、新被子、新床单、新浴巾，在家门口挂上滑稽的小黄灯，一连几个晚上看着它们兀自闪烁。她再也不怕独自一人到百货商店听欢快的过年歌曲，看别人家的爸妈牵着孩子欢天喜地逛商场，而她只能用不知所云的电视剧占据空闲，假装房间里一片热闹。她会不由自主地笑出声来，因为知道他马上就要回家了，马上要睡在他上中学时睡过的那张小床上。她想和他说，去年得知新西兰遭遇地震时，自己大脑一片空白，双手颤抖地打开书桌上的台式机，生疏地点开网页，操作鼠标，只为了确认他平安。直到他在视频里一如往常地说"挂了挂了，拜拜"之后，她才关掉电脑，痛彻心扉地哭泣。

"妈的，一条鱼也没有。"儿子收起鱼竿，自言自语，经过她时指着不远处的小石房子，"喏，牧羊人教堂，去看吗？"

天真冷。国内还是春天，飞到南半球，带来的单衣都不够御寒，在湖边站不到半个钟头，便飘起雪，一粒粒洒进身后的帽子，冻得两只脚没有了知觉，膝盖像浸在冰河里。她努力回弯膝盖，不让自己脚步踉跄，紧跟在儿子身后，向那个小小的石房子跋涉而去。她想回到公路对面的酒店公寓，回到柔软的床上沉沉入睡，暖一暖冻冰的脚。她和儿子两人共享两层楼的套房，儿子把有落地窗的大房让给了她，从那里望出去，可以看见整片特卡波湖。她从没住过那样豪华的客房，睡过那样舒适的大床，就算是做梦，也绝对想不到居然独自一人乘飞机十五六个小时，横跨南北半球来到新西兰，顺利找到了儿子。

鱼不重要，湖水和石房子不重要，她是来找儿子的。

儿子就站在她身边，她却把他给弄丢了。


晚上九点多，她昏沉沉倒在床上，门开了，她探出头，看见儿子头顶扣一顶棒球帽，一手提着渔具包，正准备出门。

"干什么去？"

"钓鱼。白天没有，晚上肯定有。"

"外面下着雪呢。"

"没事儿，衣服防水。"

"冷得要命，你一个人出去干吗？"她一下子清醒了，来不及穿拖鞋，翘起脚尖走到门口，一阵冷风灌进睡袍，她不由得打了个寒战。

"哎呀，你别管我了。"他甩开她的手，头也不回地钻进黑夜。

她跑出来，踩到了门口没收走的脏盘子。"王一潇你给我回来！大半夜的！又不让我安生是吧？"她几乎喊破嗓子。隔壁的窗帘唰地拉紧。月亮被乌云遮住大半，月色惨白。

那个身影站住，回过头，帽檐遮住眼睛，只露出不动声色的鼻头和嘴。"我说了，你别管我。"

"这里就咱俩！就我，跟你！不管你，我管谁？你说我还能管谁？"她几乎带着哭腔，不知是冷还是怕。她想求他回去，知道他在房间里，她就安心。她怕他去那该死的湖边，灌木丛，落叶树，野兔，野鸭，黑咕隆咚，她怕他凭空消失。

那身影摇摇头，低声说："回去把鞋穿上。"她低头才发现，自己还光着脚。


乏味。就是乏味惹的祸，他偏要激她一激，他想看她着急，有报复的快感。可他究竟要报复什么呢？从小到大，他每一次恳求她的关注和赞赏都失败了，每一次报复都不了了之。他的青春叛逆期就像挥拳捶在一团棉花上，每一拳都力气用尽，却都绵软无力，无处发泄。那个叫母亲的人，用固执和冷漠拆解了他使出的每个招数，再将这些招数一一施展在他身上。

她从来不记得他的生日，在一整天的期待之后，她轻描淡写地说，哟，今天是潇潇生日，妈妈忙忘了，别见怪。他没收到过一次生日礼物，没吃过属于自己的生日蛋糕，没吹过蜡烛许过愿。他曾天真地以为所有小孩子都和他一样，是不过生日的。他考过几次好成绩，为的是给她看，她却总在忙别的事，连"不错"两个字都不肯说。

他放弃了，因为她先放弃了他。

他故意把一本原本不存在的日记放在桌上，试探她会不会看，她果然看了。他只想在她面前痛痛快快地打上一架，让她看见自己的凶猛，那个挨揍的男孩是无辜的。他故意倾了倾盘子，让牛肉的血水弄脏了她的袖子，看到她在水池边用力搓洗，仿佛看见少年的自己在她的奚落之下，默默洗净内衣，边洗边把眼泪吞进肚子里，连啜泣声也一并被流水掩埋。

那天下午来了个收拾房间的毛利男孩，大雪天穿一条短裤，端一杯热咖啡，唱着歌，在楼上厨房刷碗。他手脚麻利地将垃圾倒进大塑料袋，用钢丝球抹净灶台上的油渍，像变戏法一样，眨眼的工夫把床铺得整整齐齐。他和男孩攀谈起来，得知对方和自己同龄，打过很多份工，在世界各地的酒店铺过床，自学了几门外语，会说简单的中文，还上电视卖过床垫。那男孩多快乐啊。

他若无其事地把这些讲给她听，她却露出不解的神色：铺个床能铺出花来？一看就是上学的时候没好好学习。

果然她眼里只有那么一丁点东西，针孔大小，不管做什么，带她去多少地方，她都不会改变。他来新西兰上学这件事，可能早被她炫耀过无数遍，他能想象她说起自己时的语气，似乎都是她的功劳。他出国读书，说白了就是为了躲避，躲开她的丧气和冷酷，躲开她想把自己碾进泥里以彰显伟大的扭曲心态。他不想成功，不想赚大钱，不想拥有自己的事业。他曾经想做一个温暖的人，可连这么卑微的愿望也遥遥无期。他偷偷地拼命练习，练习奔跑，练习呼吸，练习冲刺，练习他不擅长的事，就是为了听到她说，好了，可以了，你很棒，妈妈很开心。

她永不知足。

爸爸大概也一样，曾经想做出点什么证明自己，最后都一样样被她踩碎。有一次，爸爸和他密谋了结婚纪念日惊喜，玫瑰花瓣撒在客厅地毯上，从进口超市选了瓶价格不菲的洋酒，还特地去买了高脚杯，一一摆在并不相称的家里。她一进门，爷儿俩正躲在沙发后面准备撒花，却听见她说，妙妙，你先坐这儿，老师给你弄口饭去。小女孩尖利的哭声像一根细针，戳破了即将升空的气球。他听到她说："以后钱都花到刀刃上，别弄这些有的没的。"她踩烂了那些玫瑰花瓣。他本以为她会高兴，会笑，会抱起他来。

之后他们的每一次争吵都以"我早就和你说过"开始，以"能过过，不能过离"结尾。他听腻了，认真地希望他们分开。

但他们却始终像一摊泥那样沤在一起，彼此嫌恶，却偏不肯分开。他们只是悄悄错开了时间。带他去上课外班的是母亲，回家做饭的是父亲，等他们坐下来吃饭，父亲已经早早吃完出去了。去学校开家长会的是母亲，周末带他去公园的是父亲。只要有谁坐在客厅的沙发上看电视，另一个人必然在忙别的事。他们最开始还走进同一间卧室，后来在客厅置办了一张折叠床。他们睡在不同的地方。他原想，这样也好，有人夜里帮忙看门，他胆子小，总担心有鬼或贼从大门溜进来。

爸，你没想过找个更好的吗？他上大学前特地问过。

说什么呢！别让你妈听见。父亲一头扎进厨房，一刀刀剁砧板上的猪排骨。

他摘掉帽子，掸了掸上面的雪水，卸下渔具包，独自躺在酒店公寓的床上，回想起菜刀落在砧板上的声音，咚，咚，咚，咚。他想不通，为什么非要忍耐？

又是飘雨的一天。没想到从瓦纳卡湖到皇后镇的路这么难走。山路蜿蜒，错车时轮子刚好压在悬崖边上，每一道急转弯都来得猝不及防，有时车需要转过一百八十度才勉强能开过去。刚来新西兰那会儿，他喜欢和朋友们结伴到南岛挑战这段山路。他们故意把车子开得飞快，在后座喝酒吸烟，唱新学的 rap，每次错车都兴奋地大叫，夸张得像捡回一条命。公路旁的土路上横着一辆摔得粉碎的车，像被随意丢下悬崖的玩具，肚皮朝上仰面躺在那里。他深呼一口气，握紧方向盘。

慢点慢点。让他们先过。看着前头。别分心。减速减速。她不停嘀咕。烦透了。

好不容易开到山脚，刚接近平路，正要拐进居民区，一晃神，车身发出清脆的嘎嘣声。慌忙停在路边，跳下车，右前方的保险杠被路角不到半米高的指示牌刮了。愚蠢的错误。就算雨水和雾气蒙上了挡风玻璃和后视镜，他也应该知道的，新西兰的路标修得矮小，又总在盲区。这条路他开过两次。

我就说让你开慢点，这下刮了车，傻了吧。母亲从副驾驶座下来，看一眼松动的保险杠，嘴里发出啧啧的声音。

他没吭声。只要给保险公司打个电话，回头去修一下，不是什么大问题。

这还好是在平地，要是刚才在山路上，咱俩小命都没了。她抖了抖肩膀上的雨水，裹紧脖子上的围巾继续念叨。

以后你开车也注意点，磕磕碰碰的多不安全。她摇摇头，一副事后诸葛的语气。

能不说话吗？他忍无可忍。

我都吓死了，你不让我说话？我是你妈，怎么话都不让说了？一股火从胃里顶上来，她想吞下去，却怎么也吞不下。昨天她一宿没睡，担心他半夜又跑出去钓什么鱼。

你没看见我在解决吗？他刚拨通保险公司的电话，却被她打断了。

又不是我让你刮车的，你冲我吼什么吼，小孩崽子。

他最讨厌被她叫孩崽子，似乎他是某种没脑子的生物，是她的附属品。

妈你凭什么总看轻我？凭什么总觉得我不行？他在控制自己，可是手抖得拿不住手机。

我又怎么了？你怎么不在自己身上找找原因？嗯？

又来了。

我问你，从小到大，为什么你只对我凶？为什么对别人家的孩子那么好？你是圣人。你伟大。你无私。我呢？还有，你凶我也就算了，你凶我爸干什么？你到底想要什么？让我俩给你求饶吗？

他吼出来的声音发颤，路过的人纷纷望过来。他踹一脚掉落一半的保险杠，赌气坐进车里。他想径直把车开走，随便开到什么地方去。这一幕在他梦里出现过很多次——丢下她，什么都不管。

他转动车钥匙，系好安全带，刚把脚放在油门上，看见她呆立在那儿，背对着他，好像在哭。他从来没见过她哭。印象里，她是不会哭的。

他捶一把方向盘，咬了咬牙，熄了火，等她上车。

雨点砸在车窗上，啪嗒，啪嗒，啪嗒，像从半空撒落的谷物，更密集了。身后瓦卡蒂波湖的上空悬着一团暗黑的云，正向这边移动，路上的行人跑了起来，几只海鸥在头顶徘徊，发出凄绝的叫声。她还站在那里，捂着嘴，肩膀一耸一耸。

他走下车，一把拽过她，说：下大了，上车。她哭得更凶了。几乎是在号啕。

潇潇，别和我那么说话。我知道。我都知道。你爸他现在已经不回家了。很久没回了。你说我该怎么办？你劝劝他吧。我不念他炒股的事了。再也不念叨了……

不知道为什么，她哭的时候，整个人变得小极了。

我劝劝他。他听见自己说。她的眼妆哭花了，黑漆漆的，铺在眼睑上，眼角有几颗老年斑，鬓角也早就不是黑色的了。她是什么时候变老的呢？他一直在反抗的，不是眼前这个束手无策的老人，而是那个自以为是的女人。她去哪儿了？

妈，其实你不用做太多，每次爸做完饭，你夸几句就行了。

好。她应道，乖巧得像个迷了路的孩子，看他的眼神也柔软下来。

她想说很多话。她想说自己多需要他，甚至想再一次生下他，以完全不同的方式抚养他长大。当初送他出国，她斩钉截铁地对他说：男子汉哪有窝在家里的。其实她想说，哪天你累了，啥都不想干了，就回家，妈养你。他们唯一拥有的共同语言是小时候的事，想来却没有一丁点温存的回忆，年轻时的自己果然还是太生涩太坚硬了。

　　美好的记忆必然是柔软的，像一团雾，一块奶酪，一团棉花，或者像新翻的泥土，窗帘缝隙里的一丝阳光，一场梦境。坚硬的东西是用来经受的，不是用来回忆的。早点想通就好了。


　　上个星期，她被拉进一个中学群，想来读中学已经是四十年前的事。她戴好花镜，点开每个头像，努力辨认当年的影子。和她在土院子里跳皮筋的卫小娟三十几岁死于车祸，她丈夫开的货车夜里翻了车，她坐在副驾驶。上学时喜欢四处告状的三强当了保安，执勤的时候被打瞎了一只眼，现在回到东北农村看玉米地，他在群里许诺等这茬玉米下来了，给每个人都寄几穗。学习最好的刘穗穗在群里发了一封写给丈夫的信，文笔还是那么好，她丈夫得脑血栓走了快一年，她还坚持每星期给他写信，那信的语气看了真叫人受不了，她读到一半就读不下去了。她同桌宋桂华在网上帮人做代购，据说能挣不少钱，还记得她上学时的梦想是当飞行员，那时跑得飞快，每回运动会都是长跑第一名。还有郭大川，上学时天天往大队委、广播站跑，据说他爹是镇长，老师当年格外照顾，现在在政府做公务员，女儿跑到美国读建筑，每天在群里发些国外的照片。有人提议，什么时候聚一聚吧，当面认个亲。对着一连串笑脸，她迟迟没回应。

日子越过越快，快到不知道怎么停下来，又怕它真停下来。不记得从哪一刻开始，她习惯用过去的口吻谈论一切。她的膝盖僵直发硬，每下一级楼梯，就得稍稍侧过身子。她开始羡慕那些在地铁站里健步如飞、一跃几级台阶的年轻人。她学会了乖乖排在滚梯的队伍后面。她的腰变得娇气而瘫软，不再坐没靠背的凳子，对床垫的软硬异常挑剔。她只穿合身的衣服，哪怕质地松垮，不再期求把腰上那坨肉塞进精瘦的衣裤；不敢穿裙子，露在外面的腿一到阴雨天和夜里就疼得钻心；不喜欢黑白灰，怕衬出那张有老人斑的暗黄的脸。她频繁地照镜子，频繁地挑起眉毛，好抻平眼角的皱纹，频繁地失望。她厌恶把"这衣服显年轻"挂在嘴边的店员，讨厌雪天光滑的人行道、高跟鞋、商场里琳琅满目的染发膏、花里胡哨的所谓时尚。

在她印象里，自己还是三十几岁的模样，长头发乌黑发亮，戴镶小钻的黑发箍，穿发旧的束腰牛仔裤、白衬衫，被一群孩子叫老师叫姐姐。她那时总铆着一股劲儿，就为了把一件事做好。她不怕得罪人，和所有跟她过不去的人过不去。她什么都想弄明白，到最后却偏偏糊涂了。


她和儿子坐在音乐会礼堂二楼的观众席上。儿子偏要带她来听交响乐，她对音乐一窍不通，除了当年教小孩子唱歌时，简单学过三五首儿歌的钢琴伴奏，唱过几个不成调的音符，她什么都不懂。音乐厅真安静，连屁股和椅子摩擦的声音都听得一清二楚。她屏住呼吸，无意义的音符如同海浪将她一层层淹没，她像一叶小舟，无目的地荡在水面上。来的路上，儿子兴冲冲地介绍说这个乐团有多厉害，票有多难买，她笑着拍了拍他的胳膊。她好像并不在乎这件事，就像她不在乎钓上一条大鱼，不在乎走进那幢小石房子，不在乎爬上山坡看远处的羊群，不在乎被撞掉的保险杠。她只是表现得事事都在意，似乎只有这样，她才有存在的价值，有开口说话的底气。

掌声响起，指挥转身向观众鞠躬。下一曲又起。她内心突然生出无比强烈的渴望，她希望音乐厅就在此刻轰然倒塌，她不会惊慌失措，不会找最近的安全出口逃生，而是会听着曼妙无意义的音乐，拉紧儿子的手，一瞬间的工夫从世间彻底消失。这是她梦想已久的离开，一蹴而就，干净利落，比在病床上奄奄一息，被医生用手术刀切开腹腔，或者晕倒在浴室里更高贵。

她当然没能如愿。

躺在自家的床上，一切都像一场不真切的梦境。她和儿子并没有多融洽，也没有变成仇人。他们还和从前一样。她不能重新生下他，正如他不能钻回她怀里。

替她打包颇费了番力气：保健品、化妆品、大牌的衣服、带给父亲的皮带和钱夹。他知道她正倚在门框上看着自己。他抬起头，她又移开了视线。

这一次轮到他送她离开。看着她孤零零的背影一点点消失在视线里，站在熙攘的机场，他鼻子竟有些发酸。

回到家后，他躺回房间的床上，捂住鼻子，深吸一口，被子里有小时候的气息，似乎刚刚晒过，以前他听人说那是阳光的味道，那气味分明就是妈妈，混合着洗衣液、化妆品、护手霜、医用膏药的气味，像秋天里漫山遍野的荒草在风里飒飒作响，搅动他残存的不安。他显然没必要白费心思藏起那对耳坠。他应该了解她，越是亲眼看到的秘密，就越三缄其口。他是怕她敞开心扉，和他聊起女朋友，毕业后去哪里，找什么工作，何时结婚生子——像梦里发生的那样，一次又一次逼问他。但她没有。她只和他聊起屋子里的暖气、学校和超市的距离、新西兰的天气、水果和面包。

他翻了个身，用被子捂住头，眼泪从鼻梁滑下来。

2018 年 10 月完稿

画家

画家的厄运从三十岁那年开始。

他在不到十平米的画室里午睡，梦见自己的画作在一间通透明亮的展厅正中央展出，还没来得及将画框扶正，他就被一阵钻心的疼惊醒。一只老鼠仓皇逃遁，他的脚后跟在流血。

寒冬岁末，秋菜无精打采地耷拉在窗沿上，窗外的白雪积了一层又一层，连飞鸟的痕迹都看不见，哪里来的老鼠？他赶忙起身，一瘸一拐走到画了一半的水墨画前，从废纸堆里撕下一块发黄的宣纸，胡乱敷在小拇指指甲大的伤口上，血渗透薄纸，像一朵即将凋零的蜡梅。画家全然不知，系里正开着会，讨论他的思想作风问题。当他一只脚趿拉着拖鞋，胳膊底下夹着一袋瓜子，出现在会议室门口时，他的同事们发出了老鼠觅到食物之后的吱吱声，听上去相当满意。

从市美术学院毕业之后，他因为画得好，被留了校，系主任黄慈海的赏识让他从层层审查中留了下来。用黑墨水写着"阎世存"三个字的大红榜贴在校门口的布告栏里，他成了别人口中被破格录用的"阎大才子"。

这在他听来极端讽刺。

那一年，他刚从临沂农村采风回来。同期毕业的同学有的去了美术出版社做编辑，有的到中小学当美术老师，有的家里托关系进了机关单位。二十一岁的阎世存背上装满一个画夹子的厚厚的画，虎口沾着蓝白色颜料，还在隐隐留恋山村带着泥土气息的风，还有天际变幻莫测的云。

八十年代末的夏天，阎世存甚至记不清来到村庄前发生的一桩桩往事。他一路搭乘运货的卡车，吞吃了一肚子风尘，一头扎进山野，在老农家里寄宿，靠窝窝头、黄豆酱、大葱、干豆腐为生，余下的只是漫无目的的晃荡。云朵缀在蓝天之上，骏马飞奔如滔滔江海，海豚从海面高高跃起，时而又成了一个梳着辫子的姑娘的侧脸，何时云层汹涌翻滚，何时交叠又分开，就像蘸了水和颜料的画笔，只有落在纸上的刹那，才知道成了什么形态，有了哪种可能。阎世存入了魔障，不分昼夜地画，有时非要雨点砸在画纸上，晕开纸上的一朵云才察觉大雨倾盆。若干年后，他迟迟领悟，在天穹之下无所顾念地作画，是他一生的巅峰时刻。

而眼下，离开聊以安慰的自然和山村，除了画画，他什么都不会。

父亲见他回来，头发蓬乱，脖子后面晒脱了皮，眼神里还多了一分喜悦，老人家有如神谕一般嘟囔了一句：别给我惹事就行，你自己看着办吧。这是父亲第一次对他宽容。一做不了官，二发不了财，阎世存只能听从导师黄慈海的建议，回到学校，从讲师做起。

风格主义、折中主义、经验主义、象征主义，八格、六气、六法、三品……他硬着头皮想记下这些名词，它们却像不可捕捉的灰尘游离于身体之外，在他急切需要时逃遁得无影无踪。只要讲到绘画理论，他便感觉自己成了一架机械运转、轴承艰涩的旧机器，吱呀作响。舌头打结，手心冒汗，双脚像站在烧红的烙铁上，来回腾挪，不由自主地干咳，缺氧晕眩。讲台底下的学生开始还茫然望向他，后来就窃窃发笑，扬起头朝他挤眼睛。他们在等他出错。他想回到画室中。

差不多十岁刚出头的年纪吧，家里来了客，父亲拿出他的画，尽是些扫帚、草帽、木凳子、瓶瓶罐罐之类的，没什么稀奇。他站在角落，等父亲发话。

"世存，你长大后想做什么啊？"今天的父亲还算和蔼。

"我想做个游手好闲的人。"

客人走后，父亲用皮带捆住他的双手，将他吊在房梁上，用另一根更粗的皮带在他身上猛抽。他担心房梁倒塌，不敢晃动，也忘了大哭，身体在撕裂，疼痛从耳根蔓延至后脑勺。

游手好闲，多好的词，为什么会挨揍？他不明白。

他还不明白很多事。时间并没有大发慈悲教会他。

生于二十世纪六十年代末，他几乎和当时的波折起伏相依相伴。在镇医院做护士的母亲，在镇里小学当副校长的父亲，不分日夜地奔忙着，他们说一声"去开会了"，就消失不见。去开会像是通往另一个时空的密钥口令，将爸妈从他身边夺走。家里的泥墙被大大小小的画像糊得满满当当，再没地方贴上他的画了。书先是被搬到柴门旁的木棚里，和陈年的破烂衣服鞋子堆放在一起，又被转移到储藏冬菜的地窖，任蟑螂和潮虫啃噬，后来干脆在院子里烧成灰。那夜月亮很暗，云很浓，分不清哪些是烟，哪些是云，它们就那样轻易地化成一摊焦黑，像被施了咒语。有时父亲回来时脸色铁青，翻卷的白衬衣领子上有血迹，一整晚一句话不说，如一尊佛枯坐到天明。有时母亲在哭，偷偷地，手绢死死压在嘴上，像是快要把它生吞下去。改造，爸妈对他说，他们都是必须改造的人——改造成什么样呢？父亲还会每天穿熨烫平整的白衬衫吗？母亲的白大褂和身上的消毒水味呢？

阎世存隐隐不安，却不知道那不安和恐惧究竟是什么。没人向他解释，也没人听他讲，他们只像过去一样，叫他吃饭，睡觉，起床。而他所感知的世界，像迎面撞上父亲厚重的巴掌，脸颊上火辣辣地疼。

一盒缺少红色的彩色铅笔和一沓发皱的画纸拯救了他。他画蓝色的天空和想象中的海浪，翠绿的原野和吃草的牛羊，奔跑的孩童手里的风车，骡马和山羊，漫天黄土和花园里的牵牛花。画画，坐在涂满标语的土墙根底下晒太阳，对着井里的水光发呆。他真的成了游手好闲的人，理想中的人。

如果可能，他想一辈子游手好闲下去，却没法称心如意。就在他被老鼠咬了脚后跟的两周前，黄慈海在奔去接电话的途中，撞倒了桌上的金鱼缸，玻璃碎片恰巧划破了动脉，不久便没了呼吸。从外校调来的谭子岭很快填补了系主任的空缺。说起来，谭子岭还是阎世存美术学院的同门，也是黄慈海的学生。当年，阎世存和他都上了雕塑系。谭子岭门门功课都是优等，阎世存勉强及格。老师为他们拟定主题，要"积极向上"，而阎世存偏爱塑那些和他一样迷茫的人，路边眼神空洞的小孩、扛着麻袋走过钢铁废墟的老工人、田地被洪水吞噬后绝望的老农。任课的教师里，除了黄慈海，没人爱教他这样的学生。

谭子岭才是真正讨老师喜欢的那一类。走路时压着步子，腰杆挺得笔直，头发梳得一丝不苟，见人便鞠躬叫老师，眼睛里始终闪耀着一束光，好像非要抵达什么地方。会讲话，也听话，不拧巴。人人都说：你们班的那个谭子岭真是好啊。唯有黄慈海不吭声，听人称赞，一笑而过。当阎世存的名字出现在校门口的红榜上时，谭子岭被分配到郊区的一所中专，在那里度过了六年不得志的生活。他恨黄慈海不念旧情，连梦里都在咒骂他，他压根儿忘了每天清晨自己为他端茶倒水，在桌上铺好当天的报纸，忘了在食堂替他打了一个学期的饭，就算这些都忘了，也不该无视白纸黑字的全优成绩，执意要让迟钝无能的阎世存留校。如果不是市美术学院新上任的校长和父亲是故交，谭子岭怕是一辈子都翻不了身，在中专里蹉跎终生。

如果哪天，天塌下来了，阎世存也必然是最后知道的那个人。谭子岭上任后的第一件事，是实行教师教学积分制。每个学期末，由学生匿名填写调查问卷，同事互写评语，还要在档案里列出发表的论文。这是前所未有的事。阎世存就这样毫无防备结结实实地撞在了枪口上。每一项都排在末尾，惩罚方式是在学期总结大会上念检讨，那是专为他准备的节目。台下几百号人看过他的笑话，还不忘在散会后拍拍他的肩膀，喊一声"阎大才子"，像在恭喜他又顺利完成了一次表演。久而久之，他厌了，台下听的人也倦了。每次手握字迹潦草的演讲稿走向讲台，他都不自觉地想起那年夏天，自己在江里游泳，不小心游进了桥下的一处旋涡，大脑空白，本能地扑腾，原地打转，像一只永不停歇的绝望的陀螺。好几次，眼见蛋清一般的江水吞没口鼻，他想大声呼救，却发不出声，就这样憋着一口气惊醒，半晌才发觉自己躺在家里的床上。一场噩梦。他想一逃了之，干脆调到其他学校。无奈那个年头调换工作难于登天。想不出翻身的办法，阎世存只能寄希望于新系主任良心发现，放他一马。

本来谭子岭"空降"系里，的确引起了不小的风波。刚从黄慈海的葬礼上散去，大家就纷纷觊觎起了系主任的位子。他们不再一起去食堂吃午饭，而是借口家里有事，一趟趟跑校长室，强塞烟酒，铆着劲儿等着被提拔。毕竟这等差事，工资翻一番不说，还能分到学校的一间房。委屈了大半辈子，人人都想凌驾于他人之上，亲口尝尝那诱人的滋味。谭子岭的意外出现，无异于在暗流涌动的水面上投掷一颗炸弹，打破了系里勉强维持的微妙平衡。没人给他好脸色看，人前冷落，背后嚼舌，是阎世存最后一点幸存的希望。

谭子岭太清楚自己的尴尬处境，熬得住六年的冷板凳，吞得下不公正的委屈，就不信治不了这群乌合之众。踏进美院的那天下午，他在教学楼走廊里悬挂的名人像前来回踱步。达·芬奇、米开朗基罗、罗丹……这些人曾让他的学生时代斗志满满。年过三十，他再也不是那个幻想伟大的天真少年了。但丁画像底下，一排小字重新点燃了他内心熄灭的火焰："一个人如若看见别人需要，还等着别人的请求，显而易见不是诚心的援助。"

他摩拳擦掌，决心反击。他先是自行补了点钱，给系里每个人换了张新办公桌；再将去年剩下的经费挪到年节，每人多发了一箱富士苹果。他用三天时间研究了系里每个人的家庭情况，谁家孩子多，谁家老人生病，谁住的条件不好，都熟记于胸，以备不时之需。人就是容易犯贱，被人晾在一边惯了，赔个笑脸，摊点好处，就被妥妥吃定了。当年战场失利丢掉的，要一件一件全部争回来，刻成勋章挂在胸前，这是谭子岭认定的使命。而阎世存则是他最终要扫除的障碍。

最后幸存的希望破碎在阎世存趿着拖鞋瘸着腿，夹着袋瓜子经过会议室的那一刻。他看见谭子岭一条腿跷在桌边，脱了鞋，毛线袜踩在地板上，抓起一把不存在的瓜子，假装用门牙嗑开一个小缝，右手一拧，上下捯着牙，活像一只贪婪进食的松鼠。瓜子皮似乎粘在了嘴边，他努着鼻子，装作吐掉，嘴中噗噗作响。会议室里发出了扑哧扑哧的憋笑声，像不会游泳的人在河中央吃力地换着气。

他事先并不知道这次开会，更没料到谭子岭学自己嗑瓜子的鬼把戏。令人厌恶却无力摆脱的挫败感，像汹涌的毒液没过头顶。屈辱从鼻腔漫溯上来，眼睛微酸，舌根发苦。这感受让他想起小时候挨了别家孩子的打，回到家，挨揍的却依然是他，揍完还要罚跪在家门口，看着同学和乡亲们笑嘻嘻经过。还有那一次，他踢球时砸碎了老师办公室的一块玻璃，父亲冲到学校，当着他最喜欢的老师的面，狠狠扇了他两个耳光。他以为人人都是这样长大的，后来才知道只有自己的父亲这般面目可憎。

"世存来了。"谭子岭坐正了身体，蹬上鞋子，似笑非笑，"大家都在等你。"他拉开身边的凳子，等他坐过来。

阎世存从胳膊底下抽出那袋瓜子，随手一丢，稳稳落在谭子岭面前的桌子上。"嗑吧，我请。"他木然环视四周，晃着肩膀离开了。

穿过漆黑的走廊，走到尽头的开水间，上楼梯，左手第三间屋子，是他和几个同系的老师共用的办公室。他原本要到那儿去，整理明天上课用的教案。丢出那袋瓜子之后，他的双腿止不住打战，这会儿又像灌了铅，每走一步都耗尽力气。尽管有更在乎的事压在心底，比如年初计划的水墨长卷、带学生去乡村写生的安排，但学期末的教师积分测评、刚刚那一出"好戏"，都让他如履薄冰，担心自己一不留神就跌入深渊。他体会过那种滋味。六岁那年，因为家里粮食不够，他被送到奶奶家，村子里没几户人家，更没有学校。没有书念，饭也不够吃，三年待下来，心智、个头、身上的肉一点也没长，唯独悟到了一件事：父亲的暴虐原来继承自奶奶。手脚不灵便的老太太打起人来不输给父亲，工具是锄地的铁耙锄头。等他终于挨够了打，家里也有了余粮，从暗无天日的农村返城，却发现家里多了个比他更小的家伙，追在他屁股后面喊哥哥。

无论在哪里，他都是局外人。

这话不是他自己说的，是他老婆荣月梅说的。他只是把原话的"不招人得意"改成了"不合时宜"。


荣月梅最初嫁给阎世存，并不是因为多爱他。那个年代的婚姻大多与爱无关，爱只是极小部分婚姻幸运的副产品，其余的婚姻则是一直在消磨耐心，直到感情变为亲情。嫁给他，临门一脚是听了父亲一句：画家画好了，出大名，赚大钱。她信。

婚宴上，她头一次见到谭子岭。那个男人多么得体，照顾着饭桌上每个人的情绪，讲话幽默又不轻浮。去别桌敬酒，荣月梅被灌得一塌糊涂，少不了被摸摸手背、掐一把后腰这类令人作呕的小动作。到了谭子岭这桌，他趁人不注意，用装满白开水的酒杯换下了白酒，说了几句人人都爱听的敞亮话，嘻嘻哈哈替她蒙混过关。她当时已喝得神志不清，却清楚地记得那双漂亮的手，指甲里没有颜料或泥垢，修剪得恰好。身后的丈夫趔趄着，穿着不合身的宽大的灰西装，白酒洒进她的头发。

得知谭子岭回到美院做了系主任，荣月梅正在替丈夫洗内裤。许多女人结婚后都得做这档子事，同男人到处乱丢的袜子和内裤较劲，它们不知为何总出现在茶几底下、衣柜里、厕所的角角落落、进门处的鞋柜旁，防不胜防。阎世存似乎不太高兴，阴着脸不说话。她却差点笑出了声：当初果然没看错这个人。

从一穷二白的苦日子熬到今天，荣月梅太知道"成王败寇"的道理。如果不是自己彻夜苦读，白了半个脑袋的头发，怎么会从全省最穷的县城考进省城？要不是年轻时豁出半条命熬夜给领导写讲话稿，怎么会被调进省直机关？家里没权没势，单枪匹马，坐到厅长助理的位置，不是靠嘴皮子说说就行的。

没有本事的人，注定被人欺侮。当初父亲为给她治病，低三下四挨家挨户敲门借钱，屋内的灯一盏一盏地灭。她趴在父亲背上，拼命忍住泪水，父亲哼的歌越动听，她越想哭。那一年，她五岁。多年后，每每和人谈起这段往事，她还不住地哽咽。穷到没志气，又撞上了蔫坏的人。这件事告诉她，没人同情弱者，只有变强才能保护自己。可不管她怎么敲打，阎世存就是一副吊儿郎当的窝囊样。

刚结婚那几年，住在学校的教职工宿舍，每天吃学校里一两毛钱的饭菜，荣月梅期待着丈夫哪天被从天而降的机会砸中，全家住进市中心的大房子，明厅明卫，大床柔软舒适，买辆大牌子车，最好是亮红色的，过年时风风光光开回老家。她想听人说：梅啊，你真是嫁对了人。因为这件事太不确定，她想听人亲口说说。

　　二十多年后，他们搬出了员工宿舍，搬进一间建于八十年代的老房子，客厅勉强摆下一张单人沙发，白天阳光进不来，厨房水管年久失修，时不时跑水。卫生间的淋浴喷头是后装的，洗澡时不知怎的水就渗到楼下。荣月梅最怕夜里响起的砸门声，还有那一声熟悉的："你家漏水了！"床还是上一家留下的铁焊的木板床，翻身时发出不情愿的吱嘎声。他们不得不和住宿舍时一样，夜里小心翼翼地做那件事，以防惊扰了左邻右舍。豆油和磨碎的铅都试过了，床的响动依然有增无减。反正也没多大激情，响或不响，似乎都能忍受。

　　房子越破，就被人折腾得越狠。先是楼上楼下无止尽的装修，电钻声不分昼夜，后来政府又进行改造，全楼管道都换了新的。施工期间楼道里接了公共水龙头，有大半年时间，荣月梅和一群老太太端着水盆接那里的水。施工结束了，公共水龙头忘了拆，老太太们依然成群结队去"偷"水，泼出的水和地上残留的水泥搅和在一起，洒在家门口。他们还去附近的大学吃饭，一盘菜涨到七八块，味道和二十年前大同小异。没有孩子。一张张医院的诊断书给不了他俩答案，两人也从最初的不甘心慢慢看淡了。她把办公室当作自己家，吃住都在那张皮沙发上，职位攀升，工资却没怎么涨。他醒来后就一头扎进画室，锁好门，听着西洋乐画中国画。就这样安然无恙过了二十八年。

　　前几天，去局里交材料的路上，荣月梅远远看见一个叫花子样的人朝这边走来，一身藏蓝色的旧棉衣，斜挎一个松垮的布兜，稀疏的头发飘在脑后，走一步晃一下肩膀，无所事事地晃荡。她眯起眼，心想，这年头失业的人太可怜了，寒冬腊月还在外面瞎晃。走近了，才发现是自己的丈夫。她第一次真切地感到自己的生活挫败且无意义。

半个月前，他们刚刚为此吵过一次。晚饭后，阎世存埋头纸堆，泼墨创作。她收拾碗筷，听见电视里传出熟悉的名字。谭子岭，播音员念得字正腔圆。电视里，谭子岭一身笔挺的黑西装，在一张画前讲着什么，听的人穿着朴素的白衬衫，应该是省里某位领导。正值省里拨款扶持优秀青年艺术家，谭子岭的画就出现在美术馆，他本人受领导接见，并且上了电视，这绝非偶然。如果荣月梅没猜错，他父亲的故交张校长搭了桥；谭子岭一定私下拜访过美术馆领导，确保画作悬挂的位置既不显山露水又不会被埋没，系主任的位子又刚好堵住了别人的嘴，这些条件缺一不可。还有一种可能，听说省里领导和他是至交，只因为两人吃了顿饭，聊得投机。（给你一顿饭的工夫，你行吗？）这个行业的行情明显和眼下诸多行业一样，成王败寇。先不管谭子岭画功如何，自他受了这位领导的赏识，他的画价格飞涨，以尺计算，一幅画能卖上几十万，买画的都是当地的有钱人，荣月梅够了大半辈子也够不到的有钱人。

"这不是你们系的谭子岭吗？上学的时候也是人精吧？"荣月梅故意提高音调，想从那堆破画中把阎世存拽回现实。

他没吭声。

"世存，不是我说，你能不能也上上心，运作运作？我跟你说，画得好的人多了去了，但是最终成名的就那么一两个，和你画得咋样没关系，全靠张罗。"说这话不是一遍两遍了，每回都像放了个不疼不痒的屁。

"不就是上个破电视吗？大惊小怪。"阎世存没抬头，看上去精气神快被那幅没画完的画吸走了。

"那不一样。你怎么就不开窍呢！"荣月梅差点摔碎手里的瓷碟。

她已经习惯了，或者说，早就料到他的不屑。正因为这不屑，她年轻时将他当成艺术家仰望。而此刻，她停下手里的活，呆望着阎世存用细笔尖轻蘸墨汁，再从一旁的玻璃缸中挑些水，小心翼翼地将墨水晕在纸面。无，能，她在心里默念，慌忙把碗筷丢进水池，将水龙头开到最大。

阎世存不是没有机会。黄慈海在世时曾帮他张罗过，他的画出现在国际青年艺术家展上。荣月梅记得那天，她特地叫他穿上熨烫平整的白衬衫，打上新买的酒红色领带。"好好表现，认识认识人，以后准有用。"她以为那是他飞黄腾达的起点。

那届艺术家展，国内外的名家大师来了不少，更少不了重量级媒体。开幕式上，阎世存蹲在二楼一位外籍画家的画前怔怔出神，他完全忘记了荣月梅的嘱托。等他缓过神，开幕式已散了场。他没有出现在电视台的镜头里、报纸杂志的报道里，甚至没有出现在那张有烫金大字的集体照上。

从那以后，阎世存不再参加画展开幕式，也不再逛美术馆。那些画都太张扬，欲望太盛，不明所以的线条、夸张的构图和用色直冲出画幅，好像在对他说："快来买我！我很值钱！"他不再去书画协会的饭局，那儿的酒桌上聊的净是名气和女人，或是某个投了钱的项目需要某一种画，他画不出那样的画，也厌倦了和那些人打哈哈。谭子岭依然是他的顶头上司，考核制度改了又改，他不需要读检讨了，发表论文的数量压过了一切。

他和同事老刘讨了经：花花钱，网上找个刊物发几篇论文，小刊物几百，大刊物几千，顶级刊物上万，对评职称有好处。他也折腾过评职称的事，副教授、教授听起来比讲师洋气，待遇也好。但一年年过去，提交的材料像打了水漂，无声无息。他奇怪的是，身为美术教授，为什么偏偏没人看他的画？

好消息是，他不再头疼那些理论，课讲得游刃有余，不光是本系的学生来听他的课，理工科的学生也来听，教室里坐满了人。他终于找到了画画之外的乐趣。坏消息是，不管是职称评定，还是优秀教师，年年都与他无缘。他一次次被列入候选名单，一次次陪跑，校门口的红榜上，再也没出现过他的名字。认识他的同事还叫他"阎大才子"。这在他听来极端讽刺。他不谙其道，为什么课讲得好，画画得好，论文好歹也发了几篇，却迟迟评不上？直到同事老杨偷偷告诉他："你傻啊。凭本事，你得等到猴年马月？跟你说吧，这事儿也少不了打点。化工系新来的小张就在评委家附近租了个房，时不时制造点'偶遇'，帮评委上中学的孩子找找课外班，过年过节往家里送点年货。"阎世存听后半天合不拢嘴："这有用？""第二年小张就评上了，你说有用没用？"

去年，阎世存的爹住进了养老院，环境比在家里好不少，只是时不时和同屋的老王头吵架，为的是电视调台、厕所冲水这类芝麻大的事。阎世存每回都被抓去评理，他从不向着自己爹，多半是冲着耳背的爹大吼："你能不能让人省省心！"老头老太们都聚到他爹的门口，笑嘻嘻看热闹。他爹低着头不说话，极像当年跪在家门口眼圈泛红的他。

爹犯糊涂，总在大半夜打电话给他，问的多半是他答不上来的问题：毛主席语录第二十七页最后一条是啥？这届政治局委员都有谁？这次的会议精神都传达给学生了吗？有时候，他爹会被一两句歌词难倒。"老子英雄儿好汉，老子反动儿混蛋……"之后两句是啥？他开始直接挂断电话，但他爹不依不饶，一遍遍拨回来，他只能坐在床头，睡眼惺忪地对答。床板嘎吱嘎吱响。

不知是脑子有病还是怎的，他开始怀念那个抢起皮带往他身上猛抽的爹，那个爹像一头倔驴，格外生猛，不服软，不信邪，还没有被衰老和年轻时的迷梦侵蚀。


他第一次也是唯一一次向同事袒露心扉，坐在酒桌对面的人居然是谭子岭。撞见谭子岭时，他正在红绿灯路口发呆。绿灯亮了，他没走，望过来的眼神一片愣怔，少了原先的透亮。

"不是我说你，你小子连肠子都是直的吧？"酒过三巡，对面的人舌头发硬。

"我还没说你呢，才多大岁数，头发怎么都白了！"阎世存用力睁大眼睛，对面的男人像坐船似的在他眼前晃，他仿佛熟悉，又仿佛不认识。

"累呗，心累。"谭子岭搔了搔鬓角的白头发，灌下一盅白酒，"当年师傅偏心，该是我的，偏偏不是我的。现在呢，什么都是我的了，我自己倒不是了。"

阎世存知道他在说什么，只是不知道该怎么搭腔。单位里的人都知道，前不久，谭子岭被诊断出盲肠癌晚期，他老婆到校长办公室，哭得整幢楼都听得到。据说是为了申请补助，校长愣是没批。忘了说，谭子岭的爹前不久过世了，校长没去告别。

"什么你的我的，这世上就没什么东西必须是谁的。我爹虽然活着，也老糊涂了，整天盼着自己死，人活到巴望着死的份上，有啥意思？"

那之后，他俩都没多说一句话，喝光了桌上的酒。


回到家已是后半夜，客厅的电视还开着，里头一个过气明星叫卖着一款天价保健药。荣月梅在沙发上蜷成一团，睡沉了。听见他回来，她坐起身。"喝酒了？"

"谭子岭得了癌，怪可怜。"

"人各有命，没办法的事。年轻时折腾得太狠了，老了就得还啊。"

他听见她在叹气，很轻。

"还是咱们命好，没灾没难。"

他心里好像被什么东西填满了，像午后清洁完的游泳池，碧蓝色的。

当晚，床板竟没那么响了。

一个月后，漏水的水管修好了。施工改造结束，走廊里的公共水龙头被拆掉，挤在门口接水的老太太散去，家门口也干净了。

张校长莫名其妙从大家视野中消失，学校来了三五个戴白手套穿制服的人，校长室的实木门被盖了戳的白胶条封死。系主任换了人，副教授的名额于是稳稳落在阎世存头上。

画家的厄运静悄悄地结束了。

2018 年 7 月完稿

124

新婚

## 乔歌

"早点回，明天婚礼有的忙了。"

未婚夫罗喆发来短信时，乔歌正提着刚从商场买来的四个日本红漆碗，走在回家的路上。北方的秋天起始于枯黄的落叶，终止于光秃树枝上点缀的薄雪，整座城市一夜间陷入寒冷，疾风刮在脸上如同身处荒野。乔歌在臃肿的棉衣里艰难地迈着步子，心想当初怎么选了这么个鬼天气结婚。转过街角，"市第一中学"五个烫金大字在低矮的乌云底下看起来有些黯淡。她顿了顿脚步，突然想进去看看。

午休时分，操场上拍着篮球高高跳起的男孩，荷尔蒙偾张的呐喊和炫耀，手挽手在树下窃窃私语的女孩，还有偶尔经过的腋下夹着教材的卷头发老师，一切恍似昨日，想来竟已有十个年头了。她低头从他们中间穿过，绕过红砖建成的教学楼，到栽满杨树的小花园去。

前一晚，她又梦见他了。瘦高的个子，站在走廊尽头，被班

126

主任点着脑门骂"不争气"。把散发着臭鸡蛋味的化学试剂放在隔壁班的窗台上，从数学办公室的桌上偷走月考成绩单，和同班最漂亮的女孩子毫不顾忌地嬉皮笑脸，这样的事大约只有他能做得出。其实论起来，他们除了一门声乐课被安排在同组之外，并没有什么交集。

那时赶上教育改革，市里的每所学校都在校门口的橱窗里挂上"素质教育"的简报，无非是将艺术节、运动会的照片拼凑在一起。简报的角落写着音乐课、体育课的改革方案，其中一条就是开设跨年级的选修课。声乐、歌剧、舞蹈、表演，除了唱歌外，乔歌什么都不会，也不敢报名去学。唱歌可就简单了，一门选修课几十号人合唱，浑水摸鱼就行。结果第一节课，脸上长着斑的女老师分别叫每个人到教室前测评，然后按照程度分组。乔歌扯着脖子唱到副歌，高音怎么都唱上不去，又不好意思停下来，只能张大嘴巴，金鱼一样翕动着嘴唇。整个世界都静止了。同学们都在笑，她也跟着笑起来，心里却格外想哭。回到座位上，旁边的瘦高男生瞟了她一眼，然后迅速正视前方。他叫窦杨，半长的卷发盖住三分之一张脸，对嘴型唱歌时习惯用一只手揉后脖颈，笑起来有点憨。

花园和过去相比没什么变化。石砌长廊顶上攀爬着枯萎的藤蔓，黄褐色的瓷缸里照样没有金鱼，只有枯叶、灰尘、碎纸和几根偷偷掐断的烟蒂。水泥乒乓球案上没有球网，边缘凹凸不平，上面星星点点都是斑驳的鸟粪，两个男孩子穿着不合身的校服，笨拙地用球拍推着四处弹跳的乒乓球。乔歌从长廊穿过去，找到那棵树，弯下身，拨开树根洞口附近的叶子。洞口的砖头不见了，那个洞里面的东西也没了。

别想了。她抖了抖袖子上的灰土，自嘲似的笑了。

十年前，她常在自习时借口上厕所，偷跑到这里，把随手写下的字条折成星星，放进树洞。夹在日记本里的头发接连消失后，她便发明了这么个法子。经过这里的学生虽多，但树洞的位置朝向教学楼的墙壁，不容易察觉。她从锅炉房后废弃的灰砖头里选出大小合适的一块，堵在洞口。怕被发现，却总想留下点什么作为纪念，小女生的细腻心思罢了。在那块砖的内里，她用尖锐的石子刻了几个歪歪扭扭的字母：

QG（乔歌）→ DY（窦杨）。

梦境短暂，醒来时窗帘缝隙已露出清晨的微光，麻雀的叽喳声仿佛是四散在半空中的鼓点，震得她耳膜咚咚直颤。枕边，罗喆低声打着呼噜。他们上个月拍的结婚登记照立在床头柜中央，红色底面，雪白的衬衫，两个人都咧着嘴，不知所措地傻笑。那天拍完照片后，他俩大吵了一架，她想要带铜质相框的全价套餐，罗喆却说省下钱做别的多好。两个人在回程的公交车上把头扭到一边，装成陌生人。枕边的呼噜声也像是陌生的。

梦里，男孩依旧不说话，默然站在她对面，却看不见她，眼神空洞而迷茫。她拼命叫他，窦杨窦杨窦杨，声音像被拢进玻璃罩，闷得吓人。最近一年，她接连在自己被闷住的叫声中惊醒，叫的都是同一个人的名字。

半个月前，乔歌从通讯录里翻出他。五年前的同学聚会后，他彻底失去了音讯，头像换成了咧嘴笑的娃娃——实在不像他的风格。狠心发去电子婚礼请柬的那一刻，她耳边安静得像一堵密不透风的墙。自那以后，她神经质地反复察看手机，不错过每一条信息，连自动推送的天气预报都格外上心。蹲厕所、洗澡、吃早饭、看电视、临入睡，她都细心留意手机铃声。手机老是响，却老不是他。

青春期的痴念在她的身体里晃荡了十年，终于还是像黎明将至前的篝火般熄灭了。别人告诉她，这叫成熟。她惦记的却是另外的东西。明天，这一切就要结束了。

## 窦杨

从女护士手中接过小小的婴儿，窦杨的手无法自控地抖成筛子。手里那个小生命双眼紧闭，微微张开的小嘴勉强能塞进一根手指。他忘记自己是笑了还是哭了，浑身上下像运转的洗衣机那样兀自颤抖。周围的人惊讶于他率先做了父亲，却没人告诉他应该怎么办。他自以为懂不少东西。他懂得如何让女孩在人群中一眼看见自己，懂得在女生最需要的节骨眼上轻描淡写递上问候，懂得用随手拾掇的小物件制造浪漫，懂得在对方步步紧逼时迅速为自己开脱。他懂得何时调皮耍赖，何时妥协乖巧，何时显露锋芒，唯独不懂怎么做父亲。

匆忙筹备的婚礼上，他一只手死死拖住新娘的胳膊，一半为了掩住她微凸的小腹，一半出于无处可逃的慌乱。他像被什么牢牢钉在那里——鲜花装点的红毯上，他当着众人的面许下不知结局的承诺，新娘眼眶里噙着泪，他用一只手擦掉她脸上的泪花。"别哭了。乖。"他说着，感觉自己才是需要被擦干眼泪的新娘。他在众人的祝福中艰难地喘息，如同等待处决的囚犯。

他按照事先排练的那样，说"请让我照顾你一辈子"，"你是我生命中最重要的人"，"我会好好珍惜"。炫目的彩色灯光里，坐在最前排的父母微笑着，眼里泪花闪烁。他们最终还是出现了。虽然宴席过后，他们多半会像仇人一样不多看对方一眼，回到各自的家庭。窦杨不清楚他们是如何相爱的，正如不清楚他们是如何变成仇人的。

十三岁那年，窦杨正跪在房间的地板上摆弄玩具汽车，门外传来母亲凄厉的哭声。透过门缝，他瞄见一位穿粉红套裙的年轻阿姨，她手里的提包甩了出去，纸片一样的东西散落一地。母亲跪下去，疯了一样胡乱抓起那些纸，在眼前晃了晃，瘫坐在地上。那还是一个信纸风行的年代，情人们靠写信互诉衷肠。当晚，隔壁房间的门紧闭，他们在争吵，像一段无休无止的噩梦。头顶的猫头鹰闹钟嘀嗒嘀嗒地走，窦杨好像睡着了，却清晰地听见那屋有东西摔在地板上。

那晚过后，妈妈照例为他做饭，接他放学，不多说什么。爸爸穿旧了的深蓝色凉拖再也没从鞋柜里拿出来过。男人不可相信。如果说他悟到了什么，大概就是这么一句话，他并没有把自己列在其中。

有了妻子和孩子，不过就是恍惚一瞬。妻子随手替他把头像换成孩子的照片，他听之任之，时常感觉在过别人的生活。他在一家苟延残喘的保险公司打工，西装革履面带微笑站在生人面前，口若悬河地说着自己也不信的话，把投保人的名字、保单额度写进工作总结，抽得分成，月底再将工资卡里的钱如数交给妻子。跑完一单，他熟练地融进公车和地铁的人群，斜靠着一切可支撑身体的东西，摇晃着奔向下个地点。

窦杨常想起小时候放了学，到父亲上班的公司找他。公司的活动室里，父亲正在陪张阿姨打乒乓球（父亲说起那个叫"张总"的阿姨，喜欢咬牙憋气，像是在提重物）。身形微胖的父亲吃力地晃动肩膀，两只黑皮鞋在地砖上倒腾，发出刺耳的摩擦声。他抿紧嘴唇，瞪大眼睛，尽量给出位置最好的球。他只能眼睁睁看着父亲被一地乱蹦的橙黄色小球轮番调戏。只见父亲膝盖微屈，一只手撑住膝盖，一只手越过鼓起的肚腩，用力去够那个调皮的球。起身的瞬间，父亲看见他，一滴汗水刚好从太阳穴滑落。

回家路上，父亲给他买了根纸包的奶油冰棍，五毛钱。他尽情舔着冰棍，头顶传来父亲的叹息：赚钱的机器，杨杨，以后千万别做这样的事。记住没？

一个急刹车。三十岁的窦杨在公交车上来回捌着腿，努力站稳，回家后将工资卡乖乖放在客厅茶几上。是不是父亲早就预料到这些了？所谓结局，都是事先写好的吧？

真正快乐的时光在他十三岁时就完结了，没有片尾曲，只留下静如死水的黑色银幕。他和那么多女孩谈过情和爱，抚摸过彼此的身体，相互拥吻，共同潜入广袤的暗夜，却极少有一刻确凿地相信自己爱对方。他学会了在最关键的时刻从名为"长久"的悬崖边折返，深谙此道，从不失手。唯一一次跌落源于一场意外，这意外几乎毁了他的一生。

"说多少遍你才听得进去？奶粉多放一勺，南南才吃得饱！"妻子大口呼着气，直翻白眼。妻子原本是肯正眼瞧他的，如今只剩下一轮轮翻不完的白眼。窦杨本想说，知道了，别生气，多放一勺就好了，结果说了句"去你妈的"。奶粉和奶瓶被径直推到地上。

中学同学聚会，他本不想去，摔门离家后，阴差阳错走到了学校后身新开的饭店。席间，他大口吃肉，大声说笑，笑得面色通红，装得过分轻松。他知道，刚才奶瓶落地的声音不大，却瞬间击穿了他十三岁时躲在门后的恐惧。争吵，他惊恐；沉默，他失落和痛苦。这就是婚姻所谓的真相？

"窦杨都当爹了，你说这时间过得快不快。"他们问起他的近况，自然提起他少年时的多情和顽劣。窦杨咧嘴笑着，一杯杯将啤酒灌进肚。已经是不可想象的昨天的事了，提它做什么。

"窦杨你还记得有一回咱班出去跑操，你偏要躲在教室里。为了不让来检查的教导主任发现，你用宽胶带做了个机关，从门缝里把门外的插销给插上了。我们从外面回来，费了半天劲打开门，见你还在屋里，吓了一大跳。"

"你们还记得他当时在干什么吗？"有人插嘴。

"他趴在咱班主任的桌子上，好像画什么画呢。"

"对对，当时还有人去抢，他眼睛都急红了，画撕得粉碎，就差吞进肚里了。"

"你画的到底是什么啊？"

周围顿时静下来，一双双诡笑的眼瞧向他，紧盯住他的嘴唇。他当然记得，那年春天举办了地球日活动，用大巴车拉他们去城郊的一处空地种树。他们灰头土脸地挖坑，栽树苗，浇水。最后大家举起铁锹，在一面傻里傻气的大红横幅前合影。那张合影后来被洗出来，摆在教室前面班主任的书桌上。当年还没有手机这种物件，他原想偷走那张照片，又觉得太冒险。

他画的人，今天也在席间。他眼睛扫过去，瞥见她正在角落里发呆。她比从前更安静了些，笑容也更温顺了。她又在想什么呢？

"你们怎么这么八卦啊。鬼记得十年前的事。"

她还是老样子，在这方面笨拙得可笑。只见她端起酒杯，轻抿了一口，放回原处。酒桌的话题便迅速转到炒股、赚钱和买房上了。

烟雾缭绕、嬉笑吵闹之间，他俩的眼神在半空中相遇，停留几秒，又彼此散开了。如此三两次之后，他们似乎都对某件事心知肚明，又都无法深究答案。

临别时，他当然醉了酒，红着脸，脚步却格外清楚。他从人群的一端到另一端，拥抱他的老同学，男的，女的，记得的，不记得的。唯独到了她那里，他垂下双手，一只手局促地轻轻拍了拍她的肩膀。她站在那里，像寒夜的树林里走失的一头小鹿。

五年后，窦杨收到她发来的婚礼请柬。在手机上点开，欢快的音乐声中，一个不像她的人同一个陌生男人欢笑，奔跑，摆出叫他想笑的姿势。

他脑海里无端蹦出的却是那次同学聚会后告别的场景。他拼命想弄清楚，她那时有没有说什么，或者有没有想说什么的念头。

想了很久，实在说不出一句祝福的话，他关掉手机，陷进沙发里。

## 乔歌

一觉过后，醒来的乔歌从门缝看见罗喆在厨房忙活。每天早上，罗喆都为她煎一颗蛋，热一杯奶，在床头柜上的水杯里倒满温水，在她脸上留下一个吻，然后出门上班。她感激他为自己做的一切，出于报答，她在他下班前做好晚饭，在他进门时接过他手中的提包。

大学毕业前一年，乔歌匆匆结束了那场没人看好的恋爱。那场恋爱在她心里留下一道疤痕，时隔多年仍能感受到溃烂时的疼痛。

她看见自己深爱的男人在校园的小树林里牵起另一个姑娘的手。她慌不择路，逢人便诅咒他的绝情，对方却露出一副"我早就告诉过你"的模样。失恋那段时间，她总在下课后听空旷苍凉的歌，任往事在脑子里一遍遍过，不曾察觉的细枝末节才渐渐浮出水面。刘枫就是那样的人，不是误解，不是自己不够好，是糊涂。他总说，得不到的才好，当她狐疑地望向他，他再开玩笑似的将她揽进怀里。

失恋的戏码无非是痛哭，喝酒，倾诉，食不下咽，旧情复燃——百无聊赖的大学校园里每天都在上演，人人见怪不怪。乔歌无处诉说，只能任由悲痛将她淹没。寝室的柜子里还留着刘枫送她的球拍。小树林不是爱情真正的终点，她厚着脸皮打电话给他，听他说"分开一段时间"之后，冲上脑门的第一件事是奔回寝室，翻出球拍，握柄上刻着他俩的生日和星座。她抄起它，穿过田径场，一路跌跌撞撞跑到他的寝室楼下，那天她特地穿上他买给她的红球鞋，男人的号码，并不合脚。他在店员的怂恿下坚持买下来，要她每天穿给他看。她曾将这件事粗浅地理解为爱。

三年前，乒乓球社团招新，刘枫蒙着眼睛，挥舞球拍，十球全中。当年乔歌还是新生，在看台上跳起来为他叫好。她加入社团，拼命练球，只为了让他笑着对她说："小妞，可以啊！"当乒乒球社团的学弟告诉乔歌，刘枫学长要出国时，他们尚在冷战，她一万个不信。那天她挥着球拍疯了一般穿过整个校园，想最后亲口问他一句：去哪里？去多久？为什么不早告诉她？

他当然没有出现。


世上怎么会有这么平凡的人？在图书馆门口第一次遇见罗喆，这句话差点从她嘴边溜出来。他脸上的青春痘留下的坑还没褪去，眼神木讷，远远看去还不如她个头高。乔歌心中陡然燃起一股火焰。

乔歌嚼着罗喆为她煎的蛋，怎么都想不通，当年那股征服欲是从哪儿冒出来的。她用几招小伎俩就将他稳稳攥在手里了，得手后便耀武扬威一般，牵着他的手大摇大摆地在校园里横行。她密切关注迎面走来的人，试图从他们脸上读出困惑：这么一个姑娘，怎么会和那个男生在一起？

她轻松摆布着他，时不时闹分手，撒娇，挑刺，看他活受罪。这些帮助她挨过失恋，心里那道疤痕也痊愈了。她像只警犬，在偌大的校园里嗅着刘枫的气息，在猎物即将现身的瞬间向罗喆发出指令：搂住我的腰，快。

只有一次，他们迎面撞见，罗喆正蹲在地上摆弄他那只不争气的袜子，气得乔歌差点哭出来。刘枫从她眼前飘过，眼珠没动一下。

偶尔她自问：为什么这么对罗喆？答案如出一辙：他可靠。

貌不惊人的罗喆熟读柏拉图、黑格尔和维特根斯坦，精通几门外语，对动植物的科属了如指掌。聊起这些，他眼睛里仿佛要榨出光来，她假装听着，心里却暗自为他悲伤。

和那些深陷爱情的人不同，乔歌从未想过天长地久，不长久，就不会伤太久。她为自己开脱。她曾经古板地生活过，遵循一切准则，听从长辈的话，在意旁人的想法。事到如今，她只想躲进无人打扰的角落，安静地享受独属于自己的时间。

"多好的时光啊。除了年轻，那时候真是一无所有。"和罗喆同居后，乔歌经常回忆起那段时间。罗喆讷讷地说："现在不是还有我呢吗。"她也不反驳。

毕业前夕，在心里憋了许久的分手还是没说出口。乔歌看着罗喆在人群中亢奋地跑来跑去，帮她和朋友拍毕业照。"罗喆，你站那里！""罗喆，你蹲一点！""罗喆，我们这样好不好看？"姐妹们对他呼来唤去，像使唤一只性情温良的小动物。

他蹲在草地里流着汗，像在向她俯首称臣。快门按下的瞬间，乔歌的眼角染上了淡淡的泪。多希望罗喆变成另一个人啊。那个人哪怕给她千分之一的爱，她都会心满意足。

"你看你这表情怎么这么诡异？"多年后，罗喆在电脑里无意间翻出当年的毕业照。乔歌凑过去看，骤然和当年那个不信命的自己正面相对。

"是啊，可能是阳光太刺眼了。"

她知道了，他成不了另外的人。

# 罗喆

　　乔歌朝自己走过来，防备从心底泛起。她相貌伶俐，踩着自信的步子，不正是周嘉怡的翻版吗？

　　差不多一年前，周嘉怡就对罗喆的"叫早服务"熟视无睹了。一想到大洋彼岸，周嘉怡被一群洋人小伙子围在中间，醋意便如滔天骇浪般打翻他最后一点自信。

　　罗喆不是没想过和她一起出国，但周嘉怡决定得太快，根本反应不及。他喝了两瓶啤酒，像个孩子那样放声大哭，哭到快要窒息。泪水婆娑中，他隐约看见她平静的脸。

　　从她离开那天起，他就默默关注大洋彼岸的一切消息，天气、新闻、电影、肥皂剧。脱口秀演员调侃的语调、忽阴忽晴的天气预告、电视那端猝不及防的爆炸和灾难中，罗喆等待灵感猝然降临，让他猜测出她现在在做什么，和什么人在一起。

　　北京时间晚八点，他设定的闹钟准时响起，不管是在图书馆准备考试，还是在后街的烧烤摊和兄弟畅饮，不管是洗澡，还是接导师电话，他都会毫不迟疑地拨通那串背得烂熟的号码。和她说一天里的第一句话让他安心，他留住了她，不管她夜里梦见什么，不管她那天将会遇见多少人，至少这一刻，他们还在一起。


　　乔歌向他走过来，罗喆心里抖了抖。他仿佛看到了另一个时空里的周嘉怡：落落大方的微笑，精致的衬衫领口绣着小小的花纹，黑色的小靴子轻点在地上。

真不凑巧。罗喆对自己说。

整整一个星期，周嘉怡都没再接起他的电话。他如行尸走肉般熬过了一周。乔歌慢慢逼近，罗喆的心一点点包裹起来，又一点点打开，在半开半合的瞬间，被乔歌逮了个正着。图书馆门口，他吞吞吐吐地告诉她，新开的旧书店就在校门口那家蓝色铺子后面。

那天，罗喆按计划牵着周嘉怡的手爬到学校最高的行政楼楼顶。他早早打探好去往楼顶的秘密通道，准备好印着他俩照片的手工巧克力，买来两罐啤酒放进书包里。他们交往的第三百天，他明知她要出国读书，却假装那是几年后才发生的事。兴冲冲打开书包，带来的巧克力被午后的高温烤化了，金红色的包装纸上粘着排泄物一样的东西。啤酒罐掀开的瞬间，啤酒连着气泡涌了一地，洒在他的衬衫和牛仔裤上，在瓷砖上留下尿一般的痕迹。周嘉怡急忙从包里翻出一包纸巾递给他。这时，应该就是这个时候，他埋头擦着，一颗乒乓球从她包里滚了出来。那是再微小不过的瞬间，假如不细细回忆他们在一起的每分每秒，几乎微小到足以忽略不计。

他们狼狈地舔着包装纸上温热的巧克力，从行政楼楼顶俯瞰整个校园，她突然说："真不好意思。"

"好啦。"他连忙扭过她的脸，亲在她的额头上。

为什么要说不好意思？他没顾得上问。

那是他们最后一天在一起。

罗喆像是被缴了械的士兵，接受了乔歌的步步紧逼。他对她怀有戒心。她太像周嘉怡了。是跌入同一个陷阱？还是真爱上了别人？如果是前者，他替自己感到无能；如果是后者，他不免感到羞耻。

罗喆渐渐找回了自信：越是不属于他的，越要牢牢抓住。无非是配合表演罢了。"如果你生活在一种无法抗拒、无法改变的痛苦里，那么这种痛苦将是你的幸福。"忘了哪位哲人这样说过，这话像暗夜里唯一的灯，让罗喆觉得自己的生活也不是一无是处。他只是不快乐，和那些因为失恋顾影自怜的人相比，至少还有一线生机，哲学层面的、具有生命意义的生机。乔歌是不能理解的。

正因为这自私的生机，罗喆卖力表演。作为一个接受过严苛的哲学训练的人，他怎么会分不清灵与肉、爱与欲、苦痛与暴戾？他端起相机，在一群女孩的簇拥下悄悄按下快门。那一刻，透过镜头，周嘉怡仿佛在冲他微笑，和过去一样。他突然知晓了命运。

所谓命运，就是让两个原本素不相识的人相聚，又让两个曾经彼此怜惜的人分离。渺小的个体所能承受的最大苦痛，莫过于无法言说和假装忘记。

"囍"字贴在窗上，两人的婚纱照挂上床头的白墙。发完"明天婚礼有的忙了"，罗喆撂下手机，想起母亲说过的话：割不断的，才是缘分。

# 乔歌

清早，悬挂着鲜花和彩带的车子排成一队从罗喆家出发，一路开到乔歌家的老院门口，院门口的街道太窄，鸣笛一片。"真他妈的，没见人家结婚呢吗！"司机师傅捶着方向盘，一脚油门，紧贴车体横穿过车流。老院的大门也窄，车子扭了几扭，开不进去，门口迎亲的礼炮提前鸣响。乔歌穿一身鲜红的秀禾服，被罗喆搀扶着下了楼，高跟鞋里的丝袜一步一滑，上车时袖口卷进了车门，费了半天力气才扯出来。

车队沿市中心的公路缓缓向前，坐在租来的红色敞篷跑车里，乔歌看见路人一张张冷漠的脸，他们好奇地望过来，和她短暂地四目相对，半秒内扭过头去继续赶路。她于是成了道路上最醒目也最尴尬的一道奇景，脸上抹着四五层厚厚的粉底，大风天里被寒风吹得腮帮直颤，肌肉僵硬，还要装成幸福的模样，嘴角竭力上翘。她从后视镜里看到坐在副驾驶的婚礼司仪，两只手捏紧手卡，嘴里念念有词，不停向上翻着白眼。

婚礼接近尾声，乔歌拖着镶金色亮片的礼服，和罗喆一起站在酒店大堂门口送客。高跟鞋太小，多一步都走不动了。天真冷，露在礼服外面的胳膊起了一层鸡皮疙瘩。她真希望他们早点离开。

客人纷纷上了车，两人正准备转身离开，一个身影从停车场旁边的花坛经过，塞着耳机，高个儿。他好像在哼歌，一只手揉着脖子。

乔歌趔趄着迈下台阶，裙子太长，腿在衬裙里裹得紧紧的，只有小腿能微微摆动。她像企鹅一样在寒冷的冰层上扭动着身体，鞋跟蹭着地面奋力向前，风在她耳边呼呼吹，早上喷好的发胶干了，几缕头发直挺挺披散在背后。跑过停车场和花坛，她向前探了探身子，顿时僵在原地。是另外的人，不是他。

早上罗喆进门迎娶她时，两人都格外平静，倒是伴娘团和伴郎团闹得凶，非要在他们头顶悬个苹果咬。找不见苹果，罗喆从宽大的西服裤兜里拿出一颗乒乓球，橙色的，有点扎眼。

乒乓球抛起来，他们凑上去亲吻，牙齿撞到了一起，乔歌嘴里漾起丝丝的血腥味。


她可能永远都不会知道了，十年前，有个男孩子，跑到树后捡乒乓球，无意间看见一处塞了砖头的树洞。他趁同伴不注意，偷读了所有的纸条，然后默默放了回去。

他对谁都没说，直到写字条的女孩要结婚了。

婚礼过后，她脱掉高跟鞋，躺在新买来的婚床上，挂着浓浓的眼妆，眼睛通红，脚跟阵阵酸痛。

她看到他那条迟到的短信：

DY → QG。

2018 年 2 月完稿

熬

曾宁知道自己快要熬不下去了，却依然熬着。所有人都是这么熬着的，就像滚烫的水在铸铁锅里徒劳地等待沸腾。

她的母亲是这样熬着的，在比曾宁还年轻的年纪有了她。母亲生下曾宁时，外婆已病入膏肓，每日来回搓着母亲的手，一双眼睛却不聚焦，不认人。她刚会走路，外婆就在飘雪的寒夜离开人世。离世时眼角挂一滴泪，到清晨已干涸成粉末。

追悼会当天，多日无力安睡的母亲睡得人事不省。终于睡饱了，睁开眼，全家人十几双眼直愣愣地瞧她，以为她已心力交瘁。他们七手八脚挽她起身，简单洗漱，连拖带拽进了灵堂。母亲也不招呼宾客，只盯着灵堂中央薄薄的黑白人像笑。她曾经替她擦洗沾满屎尿的身体，夜里给她翻身，听她咬着牙呻吟。一瓶瓶透明的药液滴进她枯瘦如老树的手臂，她搓着母亲的手，不认人。

这下，母亲的母亲、母亲、全家终于不必受苦了。

曾宁已经懂事，不乱跑，不乱叫，每顿吃光碗里的饭，睡觉时自己爬上床盖好被子。母亲在二十年间白了头发，不到五十岁已瘦成八十岁的老妪。大学放寒假回家，她牵着瘦得一条条肋骨赫然而立的母亲走入澡堂，嘴里泛起一股羞涩的苦味。

她才不过二十几岁，却衰老到只想坐在榕树底下，听蝉声、打扑克、说东家长西家短。

在偌大京城做一份替人算账的活计，每天挤十几站地铁，换乘时铆足劲用力蹬地，才能下得去。坐在窗明几净的办公室里，对着电脑屏幕和一沓沓材料，赚一份勉强付得起房租的薪水。只有老同学聚会时，曾宁才掏出柜子里母亲给她的化妆品，换上平时不怎么穿的新衣裳，保证合影传到朋友圈后不被人嚼闲话。和母亲结婚前挨饿、结婚时没一分积蓄相比，她幸运太多了，至少还有一间活动得开的小房间，虽说躺在瑜伽垫上伸不开手臂，但一块垫子还放得下。

她其实并不需要那块瑜伽垫。夜里九十点钟从单位一路奔回家，早已累到直不起腰，只想趴在床上，那垫子是多余的摆设。

自从来京城，饥饱就是未知数，她时常分不清自己是饿到腹痛，还是撑到胃痉挛。身边净是些嚷着减肥的刚毕业的小姑娘，她毕业也没多久，早已对减肥闭口不谈。想吃饱，像吃家里的土豆炖茄子、土鸡炖蘑菇、玉米面大饼子那样吃饱，饱到连一个嗝都匀不出。单位食堂的饭菜只是为了填饱肚子，好继续干活，外卖的油水虽足，却不是太咸就是太淡，不是太硬就是太辣。她怀疑自己早就对吃吃喝喝失了兴趣，没有什么是必须吃的，没有什么在吃过之后能带来满足感，多一口少一口没差。她只关心月底的工钱是不是到了账，下月的工作量能不能按时完成，还有老板投来的眼神里有没有嫌弃和厌恶。只要保证这三样，饭碗里就还有米，就不至于沿街乞讨。

周末经过商场时，曾宁不多看一眼标着折扣二字的服装。为了方便挤地铁，她从头到脚都是运动装，光是站在那里就很突兀。如果有店员满眼期待地凑过来怂恿她，女士，有合适的可以试穿一下，她便头也不回地跑掉，像活见鬼。试衣间前永远排着长长的队，绝大多数是女人，旁边站着一脸不耐烦玩手机游戏的男人。他们都是对自己还有要求、对明天还有欲望的人，前者是为了美，后者是为了婚姻。曾宁什么都不为。从什么时候起，欲望和要求通通没有了呢？

一眼望到老，那日子多无聊。上大学那会儿，个个都喜欢妄议未知的生活。在大大小小的社团里张罗折腾，非要混个一官半职才算有出息。跟风似的谈恋爱，偏爱在人多的地方手牵手，连自习室的角角落落也不肯放过，动辄是人生和理想、诗和远方。前途是不够勤奋、无路可走的人才去焦虑的事。他们蔑视凡俗、特立独行，一个人塞着耳机在夜色下的操场猛跑，或者在课后给教授发讨论真理和谬误的邮件。走路喜欢昂着头，不屑于和世间琐事产生纠葛；考试时认认真真在试卷一角写上自己的名字，妄图有朝一日给它赋予某种意义；烧烤时故意喝到微醺，然后装疯卖傻，聊苦闷聊志向聊未曾经历的爱情。

她当然也在其中。

那时谁会想过，一眼望到老的日子最终要自己去过？最不屑一顾的经济条件和社会地位，反而足以捆缚住一个人？到了该面对婚姻与家庭的年纪，再独立的人也会矮上几分，不敢与催逼自己的家人和前辈针锋相对，而是低眉顺眼，佯装糊涂。

她认识的人当中，素来少有清明透彻地活着的，曾经有过的，也是因为宽裕或他人和环境的庇护，才显得不那么窘迫，有那么一点点与众不同。而一旦所有条件都被撤除，神仙也会变成凡人，蹲在地上觅食。而她原来是不明白这一点的。

老板用手指敲了敲她的办公桌，然后丢下一沓文件等她去处理；同事向她抛来不明所以的眼神，不知如何分析其中的含义；挤不出地铁坐过了两站，打卡晚了十分钟，被扣掉一天的工资……无穷无尽的杂事如鬼魅缠身，她说不清都是什么，不知道要怎么做才能逃脱。打开朋友圈，满目都是喧哗的人群和幸福造作的表情。她盯着屏幕，有点发蒙。好像只有她被一下下钉进不属于她的泥土里，等着落叶、枯萎。日后经过的人，根本不知道有这么一块愚笨的木头存在过，只会用手拂走一颗颗风化了的沙尘。

拥挤，争抢，日复一日的疲累，没有期待，没有念想，这样的生活也叫生活吗？她感觉大部分年轻人都是这么活着的。他们习惯把美好的一面展现给别人，苦水都吞进自己肚里。曾宁常常羡慕上了年纪的人，他们有相似的成长环境、相似的家庭背景，关心类似的事物，始终怀抱些许理想主义的情感。可她并不知道与她同龄的人在做什么、想什么、困惑什么。她曾以为这是她的宿命：始终找不到一个能一同行走的人。

她知道自己快要熬不下去了，却依然熬着。所有人都是这么熬着的。

上高中时，曾宁喜欢上了一个不怎么起眼的男孩。这个故事烂俗到她自己都不愿意去讲。他不过是跟在她屁股后面，央求她给他讲题；在食堂制造各种偶遇，见了面，说一句好巧；放学前经过她的书桌，低头替她捡一支钢笔，轻轻放在她手里。所有人都拼命学习唯恐被落下，只有他在篮球场上像傻子一样带球狂奔。他不高、不帅、没个性，既不是好学生也不算后进生，他只是在同一间教室里坐着的一个普普通通的同龄人。她没道理喜欢上他。

那个年纪，能怎么办呢？在校园里招摇过市，招来老师和家长？大张旗鼓地在黑板上隆重地表白，然后收获祝福？趁天黑摸进学校后身的小树林，献上人生中的第一个吻？她什么都没做，只在他出现时，用余光望见他模糊的影子；课间操转身时回头看一眼他的脑袋瓜；在练习册和试卷上，用手指写出他的名字，接着再写上自己的，像一个无人知晓的秘密约定。什么都没做，什么都不用做，就已经够幸福的了。

十年后的一晚，在地铁站里匆匆赶路时，曾宁怀疑刚刚从对面的人流中走过去的人是他。停住，回头怔怔望了一眼，只看到一个个摇晃的脑袋。她再也无法从人群中一眼认出他来，甚至不记得他的样貌。傻，她念叨一句，回过神继续低头疾走，想起昨天的报表还躺在电脑里。

她原先以为，爱情就是用来隐藏的，像陈年的老酒，非得被时间洗练过才叫醇。后来她以为，爱情是用来追求的，没皮没脸地纠缠过一个人，等他的嫌弃和拒绝如烈火般灼伤你，再伤痕累累地离开才叫勇敢。现在她终于懂了，爱情是用来回望或期待的，埋葬在记忆深处或某个遥不可及的远方，要么属于过去，要么属于未来，一旦得到了，牢牢攥在手里，总要变成点别的。

母亲爱过的人，不一样狠狠地伤了她？她不信母亲没有俯身求过，眼巴巴盼过，不信她就这么甘心和父亲那样的人过一辈子。但和她提起这段，母亲用缝衣针在花白的鬓角抹了抹，继续缝父亲破了洞的袜子。从她懂事起，父亲的吼叫和拳头就是始终萦绕在身边的噩梦。他酗酒，夜里猛砸邻居的门，被拖拽回家后蹲在厕所里干呕，用最后一点力气向她和母亲挥拳。她吃过一拳，右颊上登时肿起一个青色的包。奇怪的是除了头晕目眩，曾宁并不想哭，只想抱紧母亲。他会打死她。

她在日记里写，两个互相怨怼甚至憎恨的人，怎么在一个屋檐底下活过一生？母亲用实际行动回答了她——不是假装，不是隐忍，而是冷漠，冷漠到极点，冷漠到谩骂和拳头都失了效就行。她试过，却做不到。她无法谅解一个有手有脚的成年男人对两个女人撒气。她不止一次想冲他挥舞手中切肉的菜刀，但只消望一眼母亲，就决心收手。母亲的眼睛里除了冷漠和惊恐，还有无法消磨的爱。那爱意不易察觉地一闪而过，叫她发觉了。

她惊讶于爱的盲目和难以理解，害怕自己也这样陷进去，无力脱身。

你还爱那个人?！曾宁一把夺过那双臭袜子扔到一边，甩着手指，生怕脏了手。母亲从老花镜上方斜着眼睛看她，露出两块浑浊的眼白。

爱？哪有爱，这叫责任。她撇了撇嘴，伏下身子拽过袜子，抖了抖，像曾宁小时候向她展示自己新买的毛衣，随后捏在两根骨节粗大的指头间，坐定继续缝补。曾宁气得浑身发抖，起身离开，刘海在额头两侧散开，活像个疯婆子。

爱一个人是什么感觉呢？她想知道。但当她看见那些横着身子挤过人群的粗壮男人，在地铁里和人争抢座位的西装革履的中年男子，单位里对所有女人都友善、习惯把讪笑挂在脸上的"妇女之友"，电视里用钻戒和游艇求婚的"钻石王老五"，或者手机里喜欢挤眉弄眼、扮酷装帅的年轻男星，就觉得有什么东西堵在胸口，透不过气。她想象不出自己爱这些人，或者和其中哪一个生活在一起。如果让父亲知道了她这种想法，一定会用粗话骂她矫情。粗俗是粗俗，她却疑心他说对了。男人和女人之间，果真有不以性为驱动力的感情吗？她觉得有，但男人呢？

虽然不爱梳妆打扮，对购物也兴趣不大，但曾宁依然是年轻的，脸上干净整洁，颈部的皱纹远远未爬上来，身材也尚未发福。从读书到工作，也有几个男人追求她，要么想让她做善解人意的情人，要么想让她做贤惠的妻子。不知道是现代人时间太少，还是心思太繁复，竟没有人给她时间恋爱、交流和了解彼此，通常吃过两顿饭就心急火燎准备开房或见家长，吓得她直往后退。

家里人也跟着急。母亲把她的照片发给老年大学一起唱歌跳舞的人，让他们介绍适龄男青年。她都能想象母亲是怎样熟练地按下转发键，然后等待自己的照片公之于众。有时她仿佛能看见母亲努着嘴盼她嫁人的样子，心里五味杂陈。她没碍着谁的事，只是在爱情这件事上略显悲观，或者只是没遇到合心的。为什么所有人都比她还急？好像女人必然需要一个男人才称心如意。她咒骂一切，诅咒一切，包括一个虚拟的男人：你怎么还不来？真是受够了！唯独不忍心骂母亲。母亲比谁都希望她幸福，一定比自己幸福才好。

比母亲幸福很容易吧，她曾经以为。

她也试过相亲角。不是故意去的，只是无意中路过。公园里上了岁数无事可做的老人们，托着纸壳做的牌子，写上自家的家产数目和对女方的要求，等人光顾。曾宁从他们面前经过，挑剔的目光火辣辣地扫在身上，余光里好像看见他们在耳语。秋风清凉的京城霎时像蒸桑拿一样，烤得她无处可藏，汗顺着脊柱滚落。她再一次逃了，却不知道该逃到哪里去。每年过生日，全世界都祝她快乐，只有她知道，在叠加的年岁面前，终究是逃不掉了。

见一见吧，人挺好的，比你大两岁，正好。母亲在电话那头央求道，语气像当年央求粗暴的父亲别再打她。她听了，许久没吭声。该来的迟早要来的。

全世界比我大两岁的人那么多，怎么就正好了？她执拗地想。但"不去"两个字卡在喉咙里。沉默实在太长，长到她忍受不了，她想挂断电话，一了百了，但想起母亲握住话筒的干枯的手、眼角松弛的皮肤，她干咳了一声，问：什么时候？在哪儿？

那天进展得并不顺利。晚餐高峰期的饭店生生排了十来号人，他们坐在门口的小板凳上等，商场里人来人往，两个初次见面的陌生人像在接受众人的检阅。除了盯着菜单，翻来覆去看那几样菜，没什么话好聊。每隔几分钟，那人便走到前台，穿过人群，高声问一句：还有多久到我们啊？问了三五次，对方急了，不再理会。他便悻悻返回，发现另外的人抢占了他的板凳。他在她面前来回踱着步子，不停翻着眼睛，看天花板上的空调滴下的水。

在北京感觉怎么样？他站定，俯视着她。

还好。她的眼睛还没来得及从菜单上移开。

习惯了就好了。这地方生活节奏快。习惯了就好了。

他继续踱步，盯着天花板。

听起来倒像是教导后来人的语气。她干笑着，用劈了的铅笔头勉强圈出了干锅花菜。旁边一对情侣在为男孩的迟到而争吵。他也迟到了，但她不在乎，她就是来找个人吃晚餐，吃完之后一拍两散，没有期待，就没有失望。

你能吃辣吗？

能吃一点。

那我点水煮鱼了。

好。

那是整顿晚餐中他们唯一完整的对话，关于辣和水煮鱼。他偶尔也夹菜过来，她便轻声说，我自己来。他也不再勉强。他们闷着头自顾自地吃着，像两个在用餐高峰期被迫凑一桌的陌生人。实情的确也是这样。

我送你回去吧？

不用了，不一个方向，地铁很方便的。

也好。

那人说罢，往相反的方向走去。她盯着他磨偏了跟的鞋和有点歪斜的肩膀，突然有点可怜他。饭钱是他付的，他从老远的城市西南角赶到北边来，他们却只聊了辣和水煮鱼。干锅花菜好像没炒熟，嚼着嚼着就嚼不动了，她想吐出来，却不好意思，只能闭着眼干咽下去，憋出了眼泪。她偷瞄他一眼，他也正费力咬着一根翠绿翠绿的花菜，嘴上沾满亮晶晶的油。

他们例行公事地交换了微信，都没有提下一次见面的事。或许他也是被家人念叨来的受害者吧？他们或许根本就是同道中人，怕被对方取笑，才假装矜持。如果她对他表露心迹，挑明自己也是受人所托，会不会不至于这么尴尬？

回家路上，经过一家速食店，买了早上吃的面包和牛奶。她每天就是这么过的，除了家人，没人在意她吃没吃一顿饭。从速食店出来，曾宁低头看微信新加的好友，头像是一只老虎，面目狰狞，不知所云。她赫然发现，除了从母亲那里知道他大她两岁，根本对他一无所知，除了姓李，连他叫什么都不知道。

下次母亲打来电话，只说不合适就行了。她自言自语。如果不信，可以说，人有问题。希望他也是这么汇报的，这样她心里会平衡许多。


她知道自己快要熬不下去了，却依然熬着。所有人都是这么熬着的。

失眠已近一个月。每个晚上，她都像是在进行某种仪式，洗澡、吹干头发、关好窗子、调好空调的温度和风向，确保两幅窗帘之间没有缝隙、点好蚊香、房间的门只留一条缝、两副耳塞放在枕头底下右手边的位置、手机静音屏幕朝下放在床头柜上。在杜绝了一切声、光、风的干扰之后，关灯睡觉。即便是这样，她仍会在三五个小时里闭紧双眼，清晰地听见屋外建筑工地上叮叮当当的金属敲打、飞舞的蝙蝠不易察觉的鸣叫、街上的车流声、隔壁传来的老人的咳嗽声。

一定是自己过分敏感了。她躺在床上。没人非要我怎样。母亲也没说一定要今年或明年结婚，同事没有孤立我，领导也还算通情达理，工作本来便是琐碎的，生活的希望本来就不充分，在这城市立足就已经不易，还贪图些什么呢？

曾宁没预料到的是，四个月之后，她便和单位的那位"妇女之友"结了婚。婚礼上，办公室里刚毕业天天吵着减肥的几个小姑娘来了，只有一面之缘、求她办过事的阿姨来了，平时老爱哭丧脸的领导来了，苍老枯瘦的母亲挎着父亲的胳膊也来了。他们比她更兴奋。而她只是扮演一个需要扮演的人，完成一份她必须完成的工作。当她从一系列繁复的礼仪中脱身，望向台阶底下的人群，那个打过她、骂过她、让她恨之入骨的父亲，竟哭得像个孩子。

　　婚姻拯救了她，没人再用这件事烦她。她只须安心打理家里一切和感情无关的事，比如炉灶、饭菜、调料、衣服、窗台的灰尘、卫生间的下水道。当然也有改变。在下班回家累得直不起腰时，仍要强打精神走进厨房，烧上几道菜。经过商场时，挑选些花里胡哨的衣服，排着队等待试穿，走出试衣间叫他来看，他多半会夸她身材好、皮肤白，和急切想卖货的店员一样。他偶尔也施展厨艺，做拿手的笋干炒肉、溜肉段和江米甜酒，她吃不惯，只一门心思夸他，因为不想再走进油烟滚滚的厨房了，但后来并没有得逞。月收入翻了倍，两人换了一间能并排放下四个瑜伽垫的房子。她每晚收拾完碗筷后，仍躺在床上一动不想动。

　　失眠和疲惫，让他们的房事延后到次日清晨。太激烈的一晚是睡不着的，会让她赶不上第二天的地铁。但清晨意味着早起，只能将闹钟调早。铃响后，他一个翻身趴到她身上，撩起她的睡衣，眼睛都来不及睁开就匆匆忙忙结束，然后再蓬头垢面地刷牙洗澡。她不知道男人为什么这么快就能解决一件事，甚至不需要渲染、调情、等待、享受。她也只是受着。这莫非也算是一种责任？

当初，他每天早上在她的办公桌上放一个包子和一杯豆浆，有半个月时间，她都不知道那人是谁，也不敢吃，只能偷偷丢掉。直到有天撞见他，他露出无害的微笑，谜底才终于揭开。他们约看电影，也只是看电影，只聊电影。请吃饭，就只吃饭，只聊饭菜。他不谈人生，不谈理想，也不问收入，不问在北京怎样。回想起这一段，曾宁才恍然醒悟：自己和当年并无二致，都会为了一件件小事臣服，轻易把感情交付出来。四个月一过，两家的父母坐下来聊了聊他们的事，他们都在北京忙工作，不在场。曾宁猜想母亲肯定会说，年纪也到了。年纪到了，就该和同样年纪的人做同样的事，甭管你是谁。于是乎四个"别人"定下了他们的事，转眼就是婚礼。这一切太魔幻，她仿佛活在一场由不得她的梦里。

你不结婚？还要等到什么时候？小白不是挺好的吗？母亲竖起两条褪了色的眉毛。

挺好，可是还……她想还嘴。

可是什么可是？过了这个村，就碰不见下个店，早晚都是结。从小母亲就擅长堵住她的嘴，这一次仍然奏效。她实在想不出一个堂而皇之的理由拒绝。

为什么是我？吃过饭，两人等着对方洗碗，都在缓慢地扒拉饭碗里最后一粒米饭。曾宁突然问。

什么？老白抬起头，有点发愣。

为什么当初选择给我送早餐？和我结婚？她压低了声音，对门有人回来，房间不隔音。

唔。他放下碗筷，用纸巾抹了抹嘴，靠在椅背上，神色慵懒：因为你人好。

人好？她似乎听懂了一般，点了点头，将碗筷收到厨房的水池里，打开水龙头。她以为答案会是美丽、性感、优秀中的一样，或者是一句"我喜欢你"，哪怕是敷衍也好。他却说她人好——仅仅和一个好人结婚，是不是挺可悲？

他盘腿坐在床上，边看电视边嗑瓜子，瓜子皮纷纷扬扬落进地板缝里。电视里，一档相亲节目正如火如荼上演：婚姻是需要双方维系的，不光是妥协和退让就有用，恭喜二位！接下来是鲜花、祝福和掌声。

曾宁结婚那天，交换完婚戒接吻的那一刻，礼堂里漫天落花，几乎看不清对面的人。她闭着眼，只管按照司仪的指令做。缺少温度的一个吻之后，两人挽着手臂下楼梯，生怕摔倒，生怕出错。那盛大的欢庆场面也能算作幸福的一部分吗？她低头擦灶台上的水，眼泪扑簌簌地掉下来。她忙着擦，眼泪忙着掉，越用力擦，眼泪越多到擦不净，最终眼前什么都看不清了，只有抹布的白影徒劳地晃。

怎么了，你？老白见她许久不进屋，奔到厨房找，嘴角粘着半块黑乎乎的瓜子皮，眼睛寻摸着灶台上的嘎啦果。

她没有抬头。没事，刚刚把洋葱切了切，明天做蔬菜沙拉吧。

他应了一声，转身回屋。有请下一位男嘉宾！屋里传来瓜子接连开裂的噼啪声，像夜晚当空爆裂的烟火。

洗完抹布，拧干晾在窗台上。夜里九点，窗外车水马龙，霓虹灯和路灯将整条公路照得透亮，灯火一直延伸到远方。下班的人流还堵在路上，城市像一架无休止的机器，吞下无数梦想，吐出生活的残渣和垃圾。真是个热闹非凡的夜，每日做饭洗碗擦地，她竟从未察觉。


最近怎么样啊？有消息了没？曾宁知道他们在问什么。回家吃年夜饭，整张饭桌的人都向他俩投来期许的眼神。他憨笑着说，没有呢，有消息了一定告诉大家。一个远方的叔伯拍着他肩膀，打趣道，小伙子，还要加把劲啊，你叔叔像你这个年纪那会儿，简直神勇！全家人都笑了，几个男人拍着手掌，笑出了眼泪。她用力踩他的脚背，恨不能将头埋进饭桌底下。他没事人似的笑，一脸好脾气。

结婚不到一年，所有人都来打探孩子的事。她以为辛苦将她养大的母亲应该能理解生养一个孩子的痛苦，劝她谨慎。母亲听了，不屑地撇撇嘴，说，你想太多了，要孩子是一个女人的本性。她缺少这种本性，也畏惧这种本性。但身边所有人都说，那是自然而然的事，顺其自然吧。于是她成了人人口诛笔伐的异类。

来到婆家，问候不到三句，便绕回这个话题：人丁兴旺是衡量一个家价值的根本，造人也要提上日程啊。公公点头赔笑。老白也不言语，朝她诡笑。她脸上在发烧。是不是做了母亲，就能堂而皇之、不露难色地提起性？她是不能辩驳的，更不能主动提及和孩子有关的话题，只要有任何风吹草动，就会引来成千上万的追兵。他们迫切地把她不想要孩子的"自私想法"扼杀在摇篮中，然后击鼓吹号，欢庆胜利。

母亲开始发给她孩子的照片和视频，网上的、路上拍的，哭闹的、欢笑的，还有孩子的小衣服和小鞋子。不知是为了激起她淡漠的母性，还是不好明说只好暗示。她见一条，删一条，删到最后，又怀疑自己是不是太残忍。一个因为年老丧失了生育能力却无比渴望孩子的母亲，有没有权利和资格去催促已婚的女儿怀孕生子？

算了，他们也不容易。我们自己知道就好。老白劝曾宁。他不知道的是，每晚在他睡熟后，曾宁都在他的鼾声里辗转反侧，想到一个孩子的出世会如何改变他们原本就毫无激情的生活。他不在乎。想促成这件事并不复杂，他只要在清晨闹钟响起时翻个身就行，接下来的事，无疑都是她的。长达九个月之久的妊娠反应，早期的孕吐，肚皮上的妊娠纹，刀疤，止不住地溢奶，随身携带尿布和挤奶器，头几个月无法安眠，喂奶，换尿布，擦孩子屁股上的屎尿，一刻也不能离身。她会被一个由两个人共同制造的麻烦死死困住。她知道自己照样会爱那个孩子，呵护那个孩子，根本不当这些是麻烦，可如果真到那一步，还有第二条路可选吗？

其实要个孩子也不错，可以陪我玩游戏。他吸溜吸溜地嘬着滚烫的白粥，漫不经心地提起，头也没抬，像评价这碗粥的干稀一样随意。连续一个月，他都提到孩子的事，曾宁不知道怎么搭腔，以为他只是随口说说。

直到那天，闹铃响了，他几乎是条件反射一般压在她身上，她还没来得及反应，就在冲撞中感到体内有什么像水纹一样荡漾开来。她立刻推开他，坐起来。他并没有采取任何措施，面无愧色地看着她。她查了查日历，不是安全期，朝他吼，为什么？为什么不提前告诉我？他坏笑道，没关系，哪儿那么容易怀孕。她想也是，一个前同事想要孩子，要了一年半载都没要到，她心理上这么排斥，怎么可能。于是嘟囔了几句，心神不宁地挤地铁去了。

当月，月经没来。她不死心，继续等，直到看见两条分明的红杠，整个人才向无尽的深渊坠落下去。她想哭，想喊，想骂，想动手打人，但终究什么都没做，只是把验孕棒用手纸七下八下裹起来扔进垃圾桶，提起裤子，走到洗手池前重新梳了梳头发。回家后，她照旧炒菜做饭，洗碗，蹲在地板上用手指抠出地板缝里一个个瓜子皮。

有一个多月，曾宁没和老白提这件事，怕他的任何反应都会戳伤她。明明是他处心积虑，她却是最终承担后果的人。她不知道该对谁讲，怕别人误解她的意思，她不是炫耀，不是身在福中不知福，不是矫情。都不是。思来想去，这件事只能由她一个人默默吞咽。

再一次想逃。逃回老家去。那里正是深秋，浸着冬意的秋凉足够她清醒的了。老白因为工作的缘故没能跟去，曾宁庆幸这个谎还能瞒得久一些。

你怎么回来了？不用工作吗？小白呢？母亲起身迎接她，步子略微蹒跚，手里拎着父亲的袜子。父亲照例不在家，他总不在。

还是那个家，什么物什都摆得井然有序，窗子上的福字又卷曲了一点，厨房里永远弥漫着熟米的香气，她的房间里还封印着她的少年和青年。推开那扇门，屋子里的灰尘一并在夕阳底下飞舞，墙上的旧海报和书柜里的磁带静静地等她回来。她望向窗外，院子里的孩子们玩着她小时候玩过的游戏，玻璃丝传电，红灯绿灯小白灯，老鹰抓小鸡。有朝一日，她肚子里的孩子也会那样奔跑嬉闹，她会教他玩那些游戏，等他投入她的怀抱。

丢下工作，关掉手机，挽着母亲到几条街开外儿时奔跑过的老院坐了整整一下午。玩过沙土、打过冰滑梯的小花园被水泥路填平，竖起"共建和谐社区"的宣传牌，满园的丁香树换成了灌木丛，修剪成规矩的平头。一只狸花猫在藤架下面望天，那片藤架曾经是块空地，堆放冬天烧锅炉的黑煤。院子里停满了车，几乎少有孩子落脚奔跑的地方，小时候只有一辆废旧的货车停在那里，她和玩伴在车旁捉迷藏，蹲在地上，透过车底盘下的空隙偷看对方的脚。她们在那仅有的一辆货车前拍了张照，洋气得很，照片至今还夹在当年的相册里。以前大人们乘凉的凉亭还在，只是涂成了棕红色，石桌石椅打磨得光溜溜，当年她跑累了，就奔向这里，倚在母亲怀里，喝五角钱的大白梨汽水。

就在这个不起眼的大院里，曾宁第一次背起书包，和人炫耀过红领巾，翻找过泥土里的塑料子弹，抓过虫子，玩过火，奔跑过，流过汗，吹过牛，盼望长大，以为母亲永远不老，自己一生都将自由。

风大了，咱们回吧。母亲的老寒腿怕是又犯了。

她不吭声，低头走着。这里不久后会被铲平，住户迁到市郊，老院拓宽成街道，鸣笛声和轮胎印会将这里淹没，她的丁香树、沙堆、狸花猫、凉亭、食杂店、大白梨汽水都将不复存在。她的童年、少年和青年都被记忆埋葬，只有夹杂着泥土气息的春风还在这里逗留，还存有儿时的残念，和她偷偷耳语：终于如愿长大了，喏，这世界美不美？

当晚，她在睡过十年的小床上安稳地睡着了。她梦见自己遇到了爱情，从滚烫的沸水中只身爬了出来，秋风凉津津的，吹在脸上，身后尽是烂漫盛开的馥郁丁香。

她只有二十八岁，她还不想衰老。

2017 年 11 月完稿

邻
居

"请问您举报过群租房吗？这是回访电话，您楼上的群租房已经被拆除。请对我们的服务做出评价。"

这是尤子这两个月来第三次接到这个电话。差不多一年以前，她的确打过一个号码，反映楼上群租房的事，如果不是这通回访电话，她都快忘记了。

"我已经不住在那里了。"和前两次一样，尤子都会在对方挂断电话前补问一句，"楼上的住户后来去哪儿了？"不出所料，她得到了同样的答复：不清楚，这个不归我们管。

这座城市这么大，总会有他们的容身之所吧。她这样安慰自己。

五年前，尤子从老家四川来到北京，在一家国际劳工组织的分局做合同工，负责拟定劳务合同、组织会议、出差参与社会调查。有人听见"国际"两个字，就瞳孔变大，双目放光，条件反射似的竖起大拇指。只有她自己知道，她不过是在最迷茫的年纪听从家人的安排，硬着头皮通过了公务员考试，然后照猫画虎把

"权利""发展""公平""对话"等字眼写进文件，整理装订好送到领导办公室，等着月底领工资交房租的区区小职员。单位百号人里，她从加入的第一天起，就是最低的职级，拿最少的薪水，做烦琐却没什么价值的工作，更没人叫得出"阚尤婧"这个古怪的名字。最难熬的是部门聚餐和年会之后的庆功宴，尤子不会说夸人的漂亮话，接不住别人抛来的玩笑，对美妆和时尚穿搭几乎一无所知，只好坐在不引人注目的角落，期盼"今天就到这里吧"这个动人的结束时刻。

局长好。这么简单的问候，她学了两年才说得出口。星期五中午，她吐出"局长好"三个字之后，在巴掌大的电梯里再没话可说。还好有两个别的部门的姑娘，看样子不比她年长几岁。"局长今天看起来真精神，是不是换新发型了啊？""能不精神嘛，最近肯定有好事！""瞧你说的，局长什么时候没精神过？咱们可得当榜样学着！"局长从头到尾不说话，哈哈大笑。尤子偷偷打量几眼，分辨不出那神情是高兴还是不高兴。从一楼到六楼，只有她做贼般耸着肩膀，含胸低头缩在电梯一角。

身边的人每天都斗志昂扬地聊职业规划，谈人生理想、责任和义务，连赚钱养家也被渲染上亮丽的玫瑰色，大概只有她，无时无刻不渴望从纷扰的人群中挣脱，躲起来，缩进被子，或者干脆退回到温暖的子宫——没有闲言碎语、胡乱猜测的安宁之地。

她本以为会一直这么干下去，像父母那一辈，一份工作做到老，退休后每月拿一份不低的退休金，在攒了一辈子的钱买的房子里颐养天年。那是她一直以来的梦想。一晚，她一如往常熬夜写文件，困到恍惚时不小心漏了一处案例，稀里糊涂得到了相反的数据。第二天合作机构打来电话，领导将办公室里的座机摔向墙角，她在门外听见电话落地时的脆响，像人的骨头被生生折断的声音。她红着脸去道歉，写好了辞职书，却因为不在招聘季，部门正缺人手被压了下来。好自为之，领导留下四个字，她听出了咬牙切齿的恨意。美梦瞬间像泡沫一样飘进空气里破裂，化作看不见的零星水汽。

那天之后，开会成了她的噩梦，她低头咬着嘴唇，担心有人叫到那个一直被读错的名字，担心自己担心的终于成了真。她知道规矩：从踏出校园的那一刻起，再没有人包容她犯错，没有人替她担责任，哪怕她才入行不到一年，周围没有一个人告诉她该怎么做，她也必须像个老手那样，挺起腰板，担负所有对于年轻的偏见和猜忌。

"因为她是九〇后啊，想一出是一出。""独生子女嘛，既不能吃苦，又负不起责任。"她无数次想冲上前去，揪起对方的脖领，不顾一切地大声辩解。她想说笔记本里彻夜研习过的资料、一笔笔写上去的字迹、无数个在焦虑中熬过的不眠之夜，都能为她正名。

"还是太年轻了哟。朋友圈里都是吃吃喝喝，这代人不行，都被惯坏了。"她松开攥紧的双手，同事们的说话声慢慢从耳边消退，她顿觉自己轻如一片羽毛，从会议室半掩的窗子飞出，在不知方向的浑浊的风中飘荡，翻滚，上升又跌落。

她掠过满目繁荣的城市，昼夜施工的大楼在她的身体下面一幢接一幢崛起，奔忙的人群从她身上深一脚浅一脚踏过去，他们彼此推搡，谁都不肯停下来哪怕一秒。掠过荒芜的村庄，一处处房屋被拆了又建，建了又拆。梦里一次次重回久远记忆里的故乡，村落和流水还在，乡音和故人已改。她掠过那些对成功的渴慕和颂扬，掠过衰落的历史和响亮的许诺，和记忆有关的文字从她的视野里淡去，再也想不起。有时飓风裹挟着她瘦弱的身体加速向前，有时她在柔风的呢喃中目眩神迷，步履踉跄。她用尽全力飞翔，飘荡，不知道最终能降落在哪里。

来京城，是她的一次冒险的迫降。

十月，老家的酷暑慢吞吞褪去，她坐了近十个小时的火车来到这个干燥之地，拖着两个齐腰高的行李箱住进旅馆，一天八十八块钱，楼下是便宜的包子铺和泛着膻味的羊杂汤店。她梦想去大公司做一名白领，日剧里，白领女主角都穿一身正装小套裙，踩着十厘米的高跟鞋，奔走在豪华的办公楼里，穿梭于阳光充足的会议室，她们自信大方，精明干练，对着陌生人也能侃侃而谈。尤子太想成为这样的人了。

白天，为了躲避旅馆打扫卫生的阿姨，她抱着笔记本电脑和简历到包子铺，点一笼十块钱的猪肉馅包子，坐上一个上午，午饭高峰期偷偷溜走。从朋友推荐的租房网站上找房，不是地点太偏就是租金太贵，银行卡里只有上学时攒下的一万块奖学金，不够押一付三，只能找远离地铁口的合租房。从大学时代诡异的寝室氛围中逃离，和陌生人搭伙过日子本是她最抗拒的事，眼下也成了生存不可少的一环。

年轻人，不吃点苦哪儿行，况且你这点苦算得了什么？连出租车司机都这么劝她。若干年前，他们也和她一样，从家乡奔赴此地，将赚来的钱汇回老家，支付父母的医药费和孩子的奶粉钱。

"你信马云吗？"师傅狂躁地按喇叭，塞进左转弯的车流，滔滔不绝地讲起马云的创业史，比马云本人还如数家珍，"不管你信还是不信，我信！人都是这么拼出来的！你说是吧？谁能舒舒服服地赚钱？"他生于七十年代，鬓角齐整的白头发让他看上去老了十岁，熬过二十多年后，除了一处标价攀升、人人欣羡的房产，他的焦虑和不安并没有减轻一丝一毫。

"马云说了，人啊，要有梦想。"马云说过许多话，许多人说过"马云说过"。尤子恨自己没早生几年，那时这里还不是寸土寸金，外地人还能靠自己的努力找到安身之所，还能用"过来人"的语气说话。而现在，她站在人声鼎沸的岔路口，眼前的黄灯不停闪烁着，她不知道接下来等到的是绿灯还是红灯，该走还是该停。

尤子看的第一处房子在三环边上，位于繁华的闹市区，楼下水果摊的榴莲味、烧烤摊的油烟味、烤冷面的劣质酱料味飘上二楼墙皮剥落的旧板房。门口鞋柜的一扇柜门向外歪斜着，进门时差点磕到腿。门廊尽头，两片花布帘子隔出一小块十平米不到的空间。网上的信息里写的是"开间"。里面仅有一张一米宽的折叠床，地上瓷砖开裂，地缝里积攒着经年累月的泥垢，墙角一张破碎的蜘蛛网成了灰尘的落脚地。大屋正中央的床稍宽些，也是铁栏杆木板床，没有衣柜、饭桌和洗衣机，房间内空荡荡的似乎有回音。房东一脸严肃地抽着烟，站在阳台门口，身后垒起高高的杂物：旧拖鞋、变了形的晾衣架、破了洞的黑雨伞、老式雨衣、熏黑了锅底的铁锅。窗外停满车子的小院里，跳广场舞的人正享用着属于他们的狭小空间，收音机里的男人用沙哑的嗓音高喊："留！下！来！"

"看得差不多了吧。"那人不耐烦起来。"小的那间，"他用下巴指了指门廊玄关处的帘子，"一个月两千五百块。"尤子双腿一屈，坐在铁床边上，一个塑料花瓶从床头后面掉下来，乒乒乓乓响。"大床房，一个月四千块。"见尤子面有难色准备离开，一直不动声色的房东从嘴角挤出一个诡笑。"就这房子，三环以内，您租去吧，根本租不到！就这间还是前天小两口回老家才富余出来，您后面还有三个人排队看，估计今晚就租了。"尤子看了看表，晚上八点半。她必须尽快从这间灯光昏暗的屋子撤离，趁它还未完全吞噬她在这里立足的幻想。

第二间出租屋的地点在城北。看房当天夜里刮起大风，沿街的塑料袋和碎纸片随风飞舞，白天的雾霾挨到夜晚，将天空染成一片低沉的橙黄色，路灯和车灯都是雾蒙蒙的一团，看不见月亮。尤子和中介约好，坐上了一个平头小伙子的电动车，在漫天的纸片碎屑里左躲右闪。小伙子比她还小三岁，来京两年，住在六环以北，他穿着中介统一要求的西装，胸前挂着工作牌，娴熟地在风里骑行，异常英勇。

尤子刚迈进屋子，抖掉沾在卫衣帽上的枯树叶，便被一股刺鼻的涂料味呛出了眼泪。"这房子……刚装修完吧？""有一阵子了，两三个月吧，能住，机器都检测了。早上还有一个小姑娘来看了，挺中意的。"尤子在浓烈的气味中用力屏住呼吸，忽然想起高中时的密友家里换新房装修，为上学方便急着搬了进去，不到半年被确诊为白血病，高三读到一半就去世了。她们曾约定一起到北京读大学，去博雅塔边未名湖畔。在那个四川小城，能到京城顶尖的大学读书是可望而不可即的梦想。因为这个约定，尤子满怀斗志，在这件事发生后却如松了弦的箭，直直扎进泥土里。她最终考进家门口一所二本大学，被调剂到了哲学系。她的大学没有博雅塔和未名湖，只有不断逃课让她帮忙签到的同学，还有一节节云里雾里的哲学课。

"你觉得怎么样？这房子虽老，但地点不错，朝南向北，明厅明卫，邻居都是老人，安静得很。"平头小伙子高亢的嗓音将她拉回现实。

尤子逃也似的冲进黑夜。夜里十点，街上车水马龙，应酬的，醉酒的，恋爱的，接吻的，抱孩子去医院的，路边卖玫瑰花的，摆摊贴手机膜的，练习滑板的。在老家，九点钟不到，路上就没什么人了，人人安于生活的贫瘠，也被这贫瘠带来的安稳感滋养着。尤子不曾同时被这么多人包围，也从没有尝过这般无处逃遁的孤独。这里的人如一颗颗互不干涉的星辰，在夜空里擦身而过，孤独像从远处蔓延而至的潮水，一浪高过一浪，喧嚣着，肆虐着，永无止尽。她不知怎的想起了老家的邻居们，从她出生，他们便在那里，看着她长大，成熟，她看着他们衰老，死去。张阿姨家的泰迪去年在路边被车撞死，今年又添了两只小泰迪，叫声更尖了。刘大妈的儿子找不到工作，在小区里捡纸箱收报纸，手臂上的纹身洗得发红，若隐若现。王婶的外孙女今年该上小学了，逢年过节见面时大声喊"阚姐姐好"，不会念错字。吴伯伯种的花该开了，整个走廊回荡着淡淡的花香。

走在回旅店的路上，尤子掏出手机，想和妈妈聊聊让人匪夷所思的中介、高昂的房租和吹得她满脸灰土的倒霉大风天，打开通讯录，手指悬在半空中，又收了回去。

转过临近旅店的一处街角，她听见有人说"尤子今天已经做得很好了"，她笑了笑，回过神，发现声音是从自己的胸腔里发出来的。嘴上说着不许哭，可还是流泪了，蓦地怀念起邻居们表情夸张地说她"长高了""变漂亮了""越长越像妈妈了"。那时的她还是个满院疯跑的假小子，没拿这些话当回事。


打那个举报电话前，尤子和一对情侣合租八十年代建起的小区公寓。四十平米的房子里，双方都小心翼翼地生活着，那对情侣在客厅压低声音说话，房间里也从未闹出过什么动静。尤子则尽量在单位解决晚饭，以免打搅他们的二人世界。更多的苦恼来自年久失修的家具和家电，洗澡时喷头掉落、马桶的冲水按钮失灵、厨房的水池管道堵塞、卧室窗子的把手折断、不合时宜地断网、停电、停水、停气……房东大概是将尤子的手机号码拉进了黑名单，电话打不通，她便自己学会了修理家具家电，不劳烦别人动手。

两年前的一个早上，尤子起床后推开卧室门，发现客厅的瓷砖上散落着白花花的墙皮。她蹲在地上研究了一会儿，隐约闻到一股烧焦的胶皮味，起身沿墙壁望上去，洗衣机上方的墙里呲呲地响，像是火炉里那种噼里啪啦的动静。天花板和墙壁交界处，一块碗口大的窟窿里冒着火苗。出于本能，她敞开门窗，站在走廊里拨通了火警电话。不久后，消防员赶到。那时墙壁中的火苗早已熄灭，客厅里飘着薄薄的烟。

尤子和消防员一道，敲开了楼上邻居的门。门嘭地弹开，洗衣粉味混杂着浓重的汗味，呛了她一个趔趄。客厅的旧式洗衣机正轰隆隆地转着，一旁的大红洗脸盆里泡着乳白色的大褂。左手边的布帘裂开一条缝，露出两张木板床。右侧卧室里是七八个人的上下铺，一个头发蓬乱的男人光膀子叼根香烟，窝在暗蓝色的被子里，被面黑得发亮。前来应门的人一口东北腔："咋的啦？等会儿俺们还得上工呢。"

一连几晚，尤子都能在凌晨两三点听见楼上的响动。夏夜，窗外的虫鸣此起彼伏，耳边蚊子哼哼地叫，仍盖不过楼上铁床频繁撞击地面的声响，还有一群男人的笑，有酒瓶陆续倒在地板上。失眠的尤子蹑手蹑脚走到楼上，站在漆黑的楼道里，听见门那头的人摔着扑克牌，哄笑，骂脏字。她想敲门，没敢。

"上工也不行，赶紧把洗衣机关掉，楼下电线冒火了。"消防员说。原来洗衣机的水沿着墙壁渗下来，原本老化的电线短路了，烧了起来。东北男人不太情愿，挠着头拔掉了洗衣机电源，不等关门，又窝回床铺闭上了眼。

继那次悬而未决的敲门之后，一连两周，尤子都不能合眼，陪伴她的除了蝉鸣，就是楼上的笑声和骂声。上班时，她眼前的文件现出一重重叠影，开会的间隙莫名亢奋。早晚上下班高峰的地铁里，她困到快要瘫倒在别人身上，闭上眼，分不清是梦是醒。

她于是写了一张字条，以恳求的语气请楼上的住户夜里十二点后安静一些。他们是邻居，不是吗？她甚至想像小时候那样，提一个西瓜，请他们所有人吃。"去了北京之后，别把人想得太好，你一个小姑娘家……"妈妈不放心，每回打电话都嘱咐几句。尤子想起来，放弃了送西瓜的想法，趴在自家的房门上，等楼道完全安静之后，做贼一样爬上楼，把纸条贴在房门中央："家里有老人，旧楼不隔音，可否夜里十二点之后稍小声些？多谢了。邻居（笑脸）。"

她就是那位"老人"，也是"邻居"本人。语气还算客气。他们不会吃掉你。她给自己壮胆。不敢和人提要求，学不会拒绝，明明在意得要死，也宁愿憋住不讲——这多年的顽症不知是从什么时候开始的。大概是小时候父母无休止的争吵，斡旋，辩解，诋毁，使她变成家里多余的人、摇摆天平的稳定支点。她练习化身为一个花瓶、一块肥皂，某种没有生命的物件。

当晚入夜后，酒瓶声，扑克牌声，床板咯吱声，笑声，骂声，没多也没少。如果消息准确，楼上住的是附近一家餐馆的服务员和帮厨，都是从外地来打工的。饭店包食宿，饭店老板租下了这间不足四十平米的房子，八九个人住，平均一个人的租金五百块左右。在这个地界是相当便宜的价格了。

消防员掀开消防记录本，让尤子签个字便离开了。房间里的焦煳味久久不散。


白墙里的电线接上了，窟窿还在，修电线的说，他们不管糊墙，糊墙要找物业。尤子找来物业，一个圆滚滚的肥硕男子怎么都爬不上借来的木梯子，连连道歉，摇着头走了。她想找房东说说糊墙的事，又觉得没那个必要，下次万一再烧，省得刨开了。上一次是卫生间渗水，维修工人掀开整张隔板才修好，卫生间棚顶的塑料板少了大半。这一次是客厅渗水，墙壁上留下一个洞。下次呢？

"请问可以举报群租房吗？"恐怕只有这么一条办法了。举报电话是朋友发来的，说是之前试过，效果不错。"他们抽烟抽得可凶了，说也不听。"朋友家隔壁也是群租房，夜里十一二点，几双脚在楼道里重重踏着，半夜喝酒打牌，隔着房门都能闻见烟味。

朋友家的孩子还小，房子又是新买的，几次沟通无果之后想到了举报。"买房和租房不一样，买房像结婚，租房就像谈情人。我这结了婚的人，只能管教，不能退让。""可能是白天他们太辛苦了吧。""辛苦？他们夜里那叫一个不消停。但打电话不到一个月，他们就搬走了。"朋友冲尤子露出胜利的微笑。尤子听得直点头。

这样也好，说不定老板良心发现，能给他们多租上一间房，只要这里留两三个人，就不算群租，也能过得稍微体面一点。

"请问您举报过群租房吗？这是回访电话，您楼上的群租房已经被拆除。请对我们的服务做出评价。"第一次接到这通电话时，尤子已经搬离那个小区了。搬家那天，她抱的文件夹叠到鼻尖，和楼上窝在暗蓝色被子里的男人擦身而过时，她微微点了点头，他望向她的眼睛，眼神空洞。他早就不记得她了。他们做过邻居。


搬进的也是老房子，距离单位不近，离地铁口也快两公里。优点是楼层高，左邻右舍没有群租房。租金比两年前翻了一番，尤子交上头三个季度的钱，咬了咬牙：花钱图个清静。

下班的地铁上，手肘和后背不友好地顶着她，羽绒服底下起了一层虚汗。地铁启动，尤子努力站稳，两只靴子卡在几双脚中间。等等！刚刚电话里说的"拆除"是什么意思？之前楼上的群租房是顶楼，不是当街的门店，怎么拆？那一年，全市大兴街道改造，不仅一口气拆掉了不少沿街的广告牌，还拆除了许多做小本买卖的门店。家附近的螺蛳粉、西安小吃、格子铺、食杂店，几乎一夜之间消失，取而代之的是一块块齐刷刷的崭新灰黑砖墙，上面刷上简单直接的宣传标语。有的门店没有马上关门，只在糊好的灰墙上开一扇窄窄的窗，送外卖的人隔着窗子取餐，窗里头的偷偷往外面送餐。过不久，这些窗也都变成沉默的墙，叫人看了说不出话。每次路过这里，尤子都不住琢磨：用长筷娴熟地挑起螺蛳粉的广西大妈、亲自将肉夹馍递到她手里的陕西大叔、食杂店里嗑着瓜子看球赛的秃头老头，不知道还在不在墙后面？不在的话，他们又去了哪里呢？

从地铁站回家的路上，吃过饭的老人们牵着狗站在路边聊天，不必刻意偷听，尤子就能分辨出老北京人特有的腔调，其中混杂着和骄傲有关的微妙情绪。那些人（她喜欢称他们"那些人"）都是怎么生活的呢？来京城的这些年，她没日没夜地拼命工作，为了被人认可死命撑着，睡觉时梦见错过上交文件的日期而惊醒，在夜里十点钟的地铁上打过盹，为赶一场场会议磨平了鞋跟。

她数次从那所和同学约定好的学校门口牌匾底下，从那些争相拍照的人中间穿过，却已经不记得当年的心情了。生活与工作变得含混不清，领导开会时说，要保持二十四小时开机状态。换一份工作吧？和同在京城打拼的老同学聊了几次，他们无一不是随叫随到，免费加班，像一块昼夜燃烧的木炭，被慢慢榨干。她依然被叫错名字，有时只被一个"哎"代替。只有发工资时才让她感觉自己还活着，价值是银行账户上的一串数字，那是她少有的短暂的荣光时刻。

打破这荣光的是爸爸时不时打来的电话:"年薪能达到多少?你知不知道你吴叔叔家的小军一年能挣七八十万?他连大学都没上,学历还没你高呢。""你什么时候能搞到北京户口?什么时候买房?等你买了房我好去你那里养老。和你妈的关系是一回事,你到时候可别不管我。"爸爸以前说过,从家里搬走是他最正确的决定,有点像一下子从水里探出头,终于免于溺死。而她怀念的是小时候的爸爸,他宽厚的肩膀扛起她,在春风里跑,风筝在天上,线在她手里,他们不谈户口、房价和未来,只唱她喜欢的歌。

连滚带爬地挤出地铁,尤子顶着寒冬里瑟瑟的风,和一对中年夫妻同时进了电梯,两根手指戳到同一处按钮。哟,你也住十二层!咱邻居!房子租的吧?看你年纪轻轻的也不像能……男人扯了扯女人的衣角。

回家了,如果这也算是个家。

旧楼水管改造的电钻声刚停歇,走廊里装修工人的烟味便顺着门缝钻进屋,一袋袋水泥垒在走廊的墙角,涂料干涸后的白末散了一地。她像一摊泥一样瘫在床上,被柔软的床褥包裹着,被子是从老家带来的,还有那里的气息。尤子大口吸着,她知道,找不回的终究是找不回了,但不代表要放弃去找。

打开电视,任凭综艺节目里的假笑和肚子的叫声交相呼应。隔壁传来电视关机的音效声。有邻居就是好,至少还知道有人生活在你周围,哪怕他们出现时大多用狐疑的眼神打量着你,问:"新搬来的?"然后摇着头,砰地关上房门。

有邻居的地方，才叫家吧？

又一年入夏，新小区安静了很多，蚊子、蝉鸣、男人醉酒的吆喝声，大约是因为楼层的缘故，都听不见了。尤子的失眠也治好了。

左邻右舍都是安家在此的本地人。他们曾在电梯里谈起这一带的房价，纷纷感叹：小区条件不错，幸亏买得早。躲在角落里的尤子听得很安心，能和这样的人做邻居，说明自己生活得还可以，也就忘了那通电话和男人无神的眼睛。

早上七点半，尤子照常出门上班。防盗门中央，赫然贴着一张沾有茶渍的字条，字迹细密，微微颤抖：

"老人睡眠轻，夜里小点声，谢谢。邻居。"

2018 年 3 月完稿

追
星

一

"去哪儿了？打你电话也不接。"李大星额头正中间摆出一个"川"字，那是暴怒的前兆。何芊低头解鞋带，手提包压在身后，不敢和他对视。内屋传来一声高过一声的啼哭，撕心裂肺，像是被谁掐住了喉咙。何芊用力甩掉鞋子，冲进里屋，抖掉羽绒服，一把掀起毛衣和内衣，把乳头塞进彤彤嘴里。彤彤闭着眼吮吸着，小小的身子在她怀里微微抽搐，脸颊上的泪痕清晰可见，叫人心疼。何芊用余光瞟一眼一旁怒目而视的丈夫，额头上的川字终于略微舒展——一场恶战就此终结。她长吁一口气，来回掂着彤彤，心里反复念着"对不起"。

洗过澡，躺进被子，省去例行公事的搂抱，枕边那个男人的鼾声很快吞没了黑暗的安宁。从回家到入睡，始终无话。结婚五年，双方都学会了妥协，不再为谁对谁错面红耳赤，日子过得小心翼翼。北方的冬夜，冷气从窗缝里溜进屋子，窗外车流穿梭而过的嗖嗖声更增凉意，何芊不由得打了个寒战。闭上眼，刚刚发生的一幕幕像放电影一样从脑海里掠过，快到来不及躲闪。她不知道怎么解释发生的一切，只能任由稀疏的梦境将自己抛进暗夜，身子也跟着天旋地转。

二

一个多月前，朋友婚礼答谢宴上，何芊偶遇娱乐报道做得风生水起的易军。生了孩子之后，何芊有一年半时间没见人，终日和一个浑身浸着奶味的小家伙困在一起。每每提着嗓子，甩高尾音尖声说话，她都不自觉地想象窗子那边有个黑洞洞的镜头正对准自己，另一侧的观众不幸看到一个披头散发的失心疯。

一桌人互不认识，笑着笑着脸就僵了，何芊的自尊心更是被周围女人的妆扮啃噬得所剩无几。

早些天，她特意从衣柜里翻出一件多年前买的杏色套装，对着镜子折腾大半天，胸前和肚子上的赘肉摇摇晃晃不肯服帖。临时跑去商场买不现实，彤彤一刻也离不开人，只能套上松塌塌的墨绿色大毛衣，靠眼影和腮红掩盖脸上的浮肿。她从箱底翻出许久不用的化妆品，一道道抹在脸上，用冲惯了奶粉的手哆哆嗦嗦地描画眼线，幻想几天之内瘦成产前的模样，容光焕发，成为一场宴席的焦点。更大胆的想法是不管李大星的暴脾气，重新在异性中间找回优越感。

幻想终归是幻想。饭桌上只有投资、生意、钱、房产和黄段子。何芊眯起眼，紧盯着一只在转盘上打转的鸭头。

"你们想听明星八卦吗？"鸭头转远的一刹那，饭桌对面一个戴针织帽、蓄络腮胡的男人聊起屏幕上的艺人：某某明星看似和善其实刁钻，只允许摄影师拍她的同一个角度，否则就摔杯子，撒手不管；某某流量小生家底深厚，和某电影公司的女总裁关系微妙，最近的电影靠亲戚投资拍摄，有女总裁加持，才顺利上线；某谐星在综艺节目上特别放得开，私下里脾气暴烈，经纪人两年换了好几个。

"都是真的吗？"

宴席散去，闹哄哄的餐厅走廊里，何芊恰巧和针织帽男人并肩往外走。

"你以为呢？娱乐娱乐，跟着利益，谁能不争不抢？你看到的都是表象。"

那男人掏出打火机点了根烟。

"我叫易军。请问怎么称呼？"

何芊大致了解了易军的工作，帮艺人和娱乐媒体牵线搭桥，争取好的宣传位置，专访大牌明星，写稿发稿，为即将上线的明星代言产品预热。"挺带劲的啊。还能见大明星，少不了拍照签名啥的吧？""时间一长就习惯了，刚工作那会儿要签名合照要得勤，现在懒得提，都是工作，何必折了身价？"出了饭店，易军在地上踩灭了烟蒂，双手插兜，走出几米回头说：有喜欢的明星，以后可以和我说，我帮你要签名。

# 三

奶孩子，换尿布，应付喊叫哭闹，边看顾彤彤边翻炒锅里的菜，洗碗擦地，围裙始终挂在脖子上，两只手总沾着水。属于自己的时间按分钟算，就是把彤彤哄睡之后刷微博看八卦，也会一不小心就睡过去。夜里又是一场鏖战。隔三差五传来哭声，饿了，要喂奶；尿了，要换尿布；拉了，要擦屁股。丈夫睡得人事不省，呼噜声有增无减，何芊双手麻利，像程序完备的机器人一样完成这些，双眼半闭，困意和厌倦如芦苇草狂搔脚底，躲不开，驱不走，只有忍。等忙完了一轮，还有下一轮，过了这一夜，还有下一夜，无穷无尽。何芊早把易军的客套话抛在脑后，连这个人和那桌尴尬的宴席也忘了个干净。

刚结婚那阵，李大星还喜欢叫她"公主大人"，无时无刻不照顾她的脸色和脾气。何芊泪点极低，去看催泪的电影前，李大星给她备好纸巾，在她掉眼泪的前一秒贴心地递上；看言情剧看到心动，何芊旁若无人地号啕大哭，李大星放下游戏，从客厅另一头跑过来哄她，直到她哭累了在他怀里睡着，他动也不动任她睡。

现在呢，任凭她哭得上气不接下气，李大星连头都不肯抬一下，整个人埋在游戏屏幕前，兴奋地抖腿，喊着队友的名字。开始何芊还跑去理论理论，撒撒娇，后来这一步也省去了，久而久之，眼泪也很少流了。没人来擦的眼泪，就算是流给自己的，也未免凄凉。如果说婚姻教会了她什么，大概就是这样一句不讨喜的话。她知道一定会有人来辩驳：你不够独立，不够勇敢，你怎么能这么想？很遗憾，这就是婚姻教会她的全部事实。

结婚头半年，李大星信誓旦旦要给老婆补充营养，每逢周末必去逛超市买生鲜，今天炖排骨明天清蒸鱼后天爆炒虾，换着样儿下厨房。半年一过，厨房里再不见李大星的身影。到了吃饭时间，两人面面相觑，不知说什么好；打开电视，怎么也调不到两人都爱看的台，只得把音量调到最低做背景音。

最终，何芊妥协了。煎炒烹炸，从头学起，算是补上头半年偷的懒。两个人默默弥补对方的缺点，生怕一不留神就惹恼了对方，这般的客气似乎在暗暗消磨彼此的耐心。当时没有人在意，稀里糊涂地过来了。接着彤彤出生，为这个气氛寡淡的家带来一点色彩，谁来做饭的矛盾无关紧要了，电视的背景音也省去了，热闹是热闹的，不过整幅画面里的灰色调子有增无减。

何芊只感到自己不知不觉中被无限压榨，时间，身体，情绪，事业。她说不上为什么，只知道孩子不是她陷入困境的根源。

四

只有在浅浅的睡梦里，何芊才能略微舒展自己，回到年华正好的学生时代，和一群志趣相投的同学在一起，欢笑，说闹，没心没肺，偶尔喝酒唱歌打牌。她时不时梦见十七八岁时暗恋过的男孩向自己招手，他揽着她，替她擦眼泪，目光温柔地听她抱怨，轻拍她的头，直到被彤彤的哭声惊醒。

别闹了，你都快三十五的人了。她对自己说。

二十岁时，三十五岁的人算是"上了年纪"的。那时她望向被生活折磨得疲惫不堪的他们，内心泛起歉意：真可怜啊，那么快就要老了，却一事无成。这下轮到她了。她发现最难的是从心底说服自己，这就是属于自己的年纪（她常误以为自己顶多只有十七八岁）。十五岁、二十五岁都还在眼前。非要和朋友喝一通酒，醉得在马路上趔趄，大声唱不成调的歌，才算度过尽兴的一夜。如今就算是朋友纷纷来劝，也不肯多熬一次夜，多喝一口酒，只想规规矩矩回家睡觉。"三十岁的中年女人"，每当听到这样的称谓，她扑哧一声笑出来，不知是笑这赤裸裸的不加修饰的恶意，还是笑自己逃无可逃的处境。

"何芊，要不要和我一起去希腊？我在那边有一个拍摄项目，半个月之后出发，一周以内就回来。"抬起头，眼前居然是倾慕已久的男星珂尔。他笑着揽过她的肩膀，走进一家咖啡店，他替她点了草莓奶昔。他们有说有笑。人们纷纷望向他俩，有人窃窃私语，有人举起手机拍照，这些都不会让何芊感到困扰，她享受这种被邀请、被注视、被关爱的感觉。

"笑什么呢？起床了。"有人摇她的肩膀，"彤彤在哭。"丈夫额头上还是那个熟悉的"川"字，何芊惊醒过来。"我去上班了。"李大星话音刚落，门砰地关上。何芊把自己蒙在被窝里，顺便也把彤彤的哭声短暂隔绝在另一个时空。实在太难为情了，那个名字消失了多年，居然以这么暧昧的方式出现在梦里。

五

二十二岁那年，何芊考研失败。准备一年多，没日没夜背题复习，放弃了申请国外大学的机会，孤注一掷的结果却是惨败。春节假期，何芊破天荒没回家，窝在无人的寝室里，思忖着怎么度过余下的日子。

学校后身的小吃街，何芊穿着棉睡衣和翻毛拖鞋，蓬头垢面地在寒风中寻觅晚餐。音像店（那时还时兴卖CD）门前的音箱反复播放同一首歌："我常常回忆起色彩苍白的华年／却始终想不起你的脸／于是我自问回忆是为了纪念／还是为了消磨无处安放的思念？……"声音低沉，像一块磨砂纸，丝丝拉拉划进何芊心里，又疼又痒。她停下脚步，进去买了人生第一张专辑。十几岁那会儿，全班都在哼唱那几个人的流行歌，像周杰伦、周传雄、蔡依林、飞轮海，偷着用零花钱买他们的唱片。何芊偏不买账，对他们的幼稚行为感到不屑，不过就是唱了几首歌而已，何必捧上天。回到寝室，她把唱片放进随身听，随着第一个音符响起，倒在床上用棉被裹紧自己，听着听着就睡着了，醒来已是第二天中午。从准备考研那一天起，头一次睡这么踏实。

大张旗鼓地追星，逢人便讲那人多出色，在何芊看来不仅愚蠢，而且叫人反感。她读大学那个年代，还没有社交网络和大规模的演唱会，像珂尔这样不温不火的歌手，也不常在电视上的大型晚会露脸，连娱乐小报上都难找到他的行踪。何芊只能从报刊亭买来成捆的音乐杂志和旧报纸，从豆腐块的报道里勾勒出他的生活——住在四川的小城里，没有正式工作，大学读到第三年因家里的变故外出打工，从餐厅服务员干起，时不时被老板和客人骂，没少吃苦。深夜在员工宿舍的楼梯间，清晨在后院花坛旁，一个头发蓬乱的瘦削青年边弹一把破木吉他，边埋头在本子上记乐谱。直到一次在后厨刷碗时唱歌，被路过去上厕所的星探挖掘，之后以单曲《无处安放的思念》出道。签约五年，因为经纪公司吝啬资源，一直郁郁不得志。"好几次都想一死了之，但为了音乐还是决定活下去。"镜头前，他眼里有泪。

　　珂尔的名字再次出现已是三年后，何芊放弃了考研复读，在国际学校做了英语教师。娱乐圈风云变幻，铁打的营盘，明星却像流水，稍不留神就泯然众人。正是那一年，一位港台明星隐私遭人泄露，一夜之间成为众矢之的，人人口诛笔伐。大家内心都明白，娱乐圈没那么单纯，也都知道真正的过错不在他，却仍免不了茶余饭后的谈论。何芊也在其中。尤其是进入职场后，人和人看似亲热，实则关系微妙，事事如履薄冰，一不留神便容易触犯禁区。八卦无疑是最好的调剂。

　　"哎，你们知道珂尔吧？"沈苗苗多半负责挑起话题，眼睛睁得老大。

　　"谁啊？听都没听说过，早就过气了吧？"刘晓瑄撇撇嘴，用纸巾擦掉鲜艳的口红，吐出一根鸡骨头。

"他就没红过，哪来的过气。是个歌星啦，当年我上大学那会儿流行过一阵。"章子洁附和道。她和何芊年龄相仿，常年戴一顶黑色帆布帽，说是懒得洗头。

"你上大学那会儿得十年前吧？"沈苗苗爱耍贫嘴。

"去你的！哦对，他又出新专辑了，据说反响还不错。"

一行人穿过一群吵闹的学生回到办公室。平时如果发现有学生追星，免不了找家长谈话。这会儿大家都沉默着，不多说一个字，维持着师者的尊严，避免露出破绽。

何芊走在最后，想起他的第一张 CD 还夹在老家书柜的旧书中间。"要不说人红靠运呢，这年头唱得好的人太多了，不差他一个。"同事的话何尝没有道理，只是对于何芊而言，他太重要了，重要到可以定义自己整个落魄的青春。她偷偷哼起那首《无处安放的思念》。

那一年的春节前夕，何芊终于改了主意，买下了回家的火车票。车厢内沸反盈天，喊叫不绝，她戴上耳机，一首歌循环听了一路，说不上哪里好，就是听不厌。车窗外，连绵无际的群山笼罩在灰蒙蒙的雾气中，飞鸟在落日下稀稀疏疏掠过，田野里牛羊散步，低头吃草。火车一路向北，玻璃上的蒸汽结了一层白花花的冰霜，乡野之上也积起厚实的白雪。暗淡的天光里，银色的月亮高挂在夕阳对面。车厢里的人吸烟喝酒打牌嗑瓜子啃猪蹄，何芊内心却升腾起前所未有的安宁。

下班后，何芊找到单位附近唯一一家音像店，从角落里拿起那张黑色封面的专辑，上面的人被红披风遮住大半张脸，露出一双噙着眼泪的眼睛。

何芊没有预料到的是，十年后的现在，珂尔会凭借一档真人秀大火。

# 六

"怎么又是这男的！"李大星从浴室出来，何芊正津津有味看着综艺。珂尔和一个女明星答题闯关，最后一关女明星坠落的瞬间，他紧紧拉住她的手，向后一仰，把她抱在怀里，手臂上的肌肉隔着屏幕呼之欲出。何芊长吸一口气，脸上发烧，连忙换了台。

珂尔和自己年龄相仿，三十几岁的年纪，从相貌到体力到资源，在新人不断涌现的娱乐圈都算不上吃香，但就是这股拼劲给他圈了不少粉。尤其是一段演戏不用替身，吊威亚当场摔断腿的新闻，在年初占据了各大媒体的榜首，触目惊心的照片配上痛苦的表情，让网友们纷纷表白"我尔太拼了"，"大爱追逐梦想的你"。之后，珂尔像是被生生从遗忘的土堆里拽出来，接受各大电视台和网站的邀约，频频亮相，和外国音乐人合作发专辑，上热门综艺，还自编自导自演了一部青春偶像电影。

和当年从一副旧耳机里听到的歌声相比，眼前的这个珂尔更多面更立体，也更容易讨年轻姑娘喜欢。他依然喜欢红色和黑色的时尚单品。面对记者的刁钻提问，最多不过一句话，回答时脸上没有表情，却往往话中有话，惹人联想。他明确表示过不喜欢粉丝接机，摄影师拍到的机场画面颇有喜感：他一个人戴墨镜戴口罩低着头经过，背景是粉丝扯着红色的横幅，写着他的名字，满脸狂喜，但无一人敢上前，和其他明星喧闹的接机后援团不同，这里静悄悄一片，只有一张张因为兴奋而憋红的脸蛋。"这么冷漠，耍什么大牌？！"微博里有人忿忿不平。"你懂什么，不随随便便才见人品。"十几二十岁的粉丝总能找准时机回嘴，处处维护，热切地表达喜爱。何芊宁愿做个看客，不劝架，不掺和，但打心底觉得自己才是最懂他的人。她不止一次设想过，假如在街边碰巧遇见，他们一定会像多年没见的旧友那样，三两句话就聊得格外投机。

何芊从不在丈夫面前表露对珂尔的喜爱，只默默关注他的动态，将他的微博设置为"特别关注"。带娃累到直不起腰的时候，瘫在沙发上点开他的照片和视频。她第一次喜欢他时，他不过无名小卒，转眼已坐拥千万粉丝，这种感觉就像是自己偷偷欣赏过的景色，突然间挤满了观光的人群，熙熙攘攘，好不热闹。何芊既欣慰又失落，这份复杂的感情不足为外人道。

从那夜咖啡馆的梦境中清醒过来，何芊想起易军临别时的话。她跳起来，抓过手机，飞速敲打：

"易军，我是上次乐小楠婚宴上的何芊，我们说过话。不知道你认不认识珂尔？如果有机会，不知可否帮忙要个签名？谢谢。

何芊。"

不到半分钟，手机响起，易军发来的消息差点让何芊的心蹦出来："他下周来京做宣传，到时面聊。"

# 七

理发店的音箱叮叮哐哐放着流行口水歌，何芊被染头发的药水味呛出了眼泪，她闭上眼，质问自己：为什么抛下孩子不管，跑到这儿来？

"美女，想要什么样的妆发？"小伙子看起来还未成年，一小撮毛茸茸的胡子贴在嘴唇上方。被一个孩子称呼"美女"有些过意不去。再看看周围，工作日的理发店里大多是发福的家庭妇女，送走了上班的丈夫，安顿好上学的孩子，过来按个摩，做个头发，和小哥扯扯家常，抱怨几句，图个清静。

一个小时前，何芊抱着刚满周岁的彤彤，提着一大包婴儿用品，手忙脚乱地打车到闺蜜周盈盈家里。说是闺蜜，其实已经有好些年没联系过。人年纪越大，朋友就越少，朋友越少，人就越"独"。除了那个不愿意回的家以外，没处闲聊，没人依靠。这次为求她帮忙带一晚孩子，何芊厚着脸皮赔了不少笑："我晚上十点钟前就回。今天大星加班，回得晚，我趁他回来前把孩子接走。回头我请你吃大餐！"何芊说有重要事情处理，然后匆忙赶到了理发店。

为什么非要和周盈盈求助？"曾经"的闺蜜而已，友情破裂于大学毕业前夕。那一年，干瘦的李大星揽着尚未发福的何芊，在KTV点了一首《可惜不是你》，目光频频瞟向沙发另一头的周盈盈。一曲结束，周盈盈端起酒杯敬酒——"致咱们仨的感情"，说完眼泪就掉下来了。何芊心里顿时疙疙瘩瘩。她曾经误以为是因为分离，后来才相信所谓女人的直觉不无道理，自己竟对周盈盈和李大星从前的恋情毫不知情。一次偶然的机会，何芊在李大星的淘宝订单里发现了以周盈盈的名字定做的一双镯子，日期刚好在周盈盈的婚礼前半个月。

　　那又能怎么样呢？掏过心掏过肺，到最后，李大星不还是成了自己的老公，周盈盈不还是结了婚生了娃，谁不是在自己的轨道上和周围的人渐行渐远？年轻时的那股傲气早就像被钉子戳破的气球，倏地飞上天了。

　　"晚上有活动？"理发小哥问。何芊随口诌了句："公司年会。"小哥意会："我先给你上妆，然后设计一款发型。"镜子里的自己顶着一块紫色毛巾，因为长期缺乏睡眠，眼圈发青，眼袋厚重，腮边的赘肉让人厌恶。她偷瞄一眼理发小哥，从口罩上方的一双眼睛里读出了不耐烦，连忙移开视线。为和那个根本不认识的人见一面，居然丢下孩子，跑到老远的理发店化妆打扮做头发。何芊猜想，一旦被丈夫知道了，他眉头的"川"字可能随时溃堤，一泻千里。

　　"美女，摆个Pose吧。"何芊被拉到一块印有海岛风景画的布景板前，要她拍几张照片留念。"好歹也是我的作品，真漂亮！"手机镜头前，何芊不自在地摆了几个老套的姿势，随后仓皇逃出了理发店。

下一站，才是她真正的角斗场。

# 八

约定六点半到城西奇盛大厦三楼的录音棚见。何芊早到了二十分钟。广场上没有路灯，只隐约看见一个个黑魆魆的影子匆忙赶路，她假想其中的一位就是珂尔。第一句话说什么好呢？打开手提包，手止不住地颤抖，她再次检查了手提包里的物件：一沓二十三页用钢笔抄写的书信；一对早就停产的国产耳机，耳机线磨得快要断了（她当年就是用它听他的歌）；一个卷了页的小本，贴满从报纸杂志里剪下的报道，边缘处写着她的心情日记（她特地让母亲从老家的柜子里翻出来，邮寄到北京）。备齐这三样，费了何芊不少力气，光是那叠书信就抄到手酸，只有一个信念支撑着她：这么老派的方式，他一定会懂的，也只有他能懂。

"今天有点不太一样啊。"

何芊慌忙拉好手提包拉锁，抬头看见了易军，他在黑大衣里穿着一身休闲西装，肩头挎着相机包和三脚架。"今天你拍照？""做这行的，啥都得懂点，今天的任务不轻，先拍照，后采访，回去还得写稿子。等会儿见了经纪人再商量。""拍照的话，可得记得给我们留张影啊。"何芊不自然地笑笑，嘴唇发干，大红色的口红像结了层痂，睫毛膏糊得她有点睁不开眼。

"Abby？"易军迎过去，"这位是我的摄影助理何小姐。"何芊反应不及，被 Abby 热情的假笑吓了一跳。只见那个女人深吸了口气，睁大眼睛，高高扬起嘴角，朝她眯了眯眼睛。半秒钟之内，嘴角垂落，恢复原状，那是一张写满厌倦和挑剔的脸，她的目光从头到脚扫过何芊。"艺人还在棚里录音，我去安排一下。"不等两人回复，她小巧的身影便消失在黑夜里。

"摄影助理？"

"你的新身份，今晚记得。一个粉丝想要接近艺人？你想得美。听说过'私生饭'吧？艺人和公司防的就是你们这种人。到时记得看我脸色行事。"易军的标志性笑容不见了，"对了，你手机壁纸不是他吧？是的话赶快换掉，到时万一被贴身保镖看见，就见不到你的偶像咯。"

何芊原以为，他们像微博里宣称的那样，是"爱"粉丝的。现在想想看，那种爱无非就是发个自拍，用两根手指比一个心，打上"回家注意安全"几个无关紧要的字，顶多是粉丝增加到多少万时录一段唱跳视频，演唱会上鞠个躬。如此而已。原来，粉丝也是艺人的保镖和经纪公司重点盯防的对象。

"我跟你说，你别胡思乱想，艺人赚钱靠的就是你们，没人捧没人爱，他赚谁的钱？谁买他的专辑、听他的演唱会？谁买他代言的洗发水剃须刀？一个愿打一个愿挨。"易军一句话将她拉回现实。

Abby 再一次出现，依然是同一张厌弃的脸。"大约还得半个小时，再强调一遍我们公司的规矩，未经允许不能用手机拍照、录像，不能和艺人闲聊，不能交换物品，不能问采访提纲之外的问题，不能合影。听清楚了吧？"何芊被这阵仗震得说不出话，Abby 精致的脸上赫然挂着"别怪我没和你说过"的神色。三楼透出来的灯光是橙色的，珂尔就在里面。我是今晚的摄影助理，很高兴见到你。伸出的手没有握到另一只手。"想什么呢？"易军抖了抖身上的大衣。一眨眼工夫，Abby 又消失了。

"别害怕，经纪公司都爱虚张声势。拍不了照了，不过能见到人也不错，是吧？"嗯，能见到人也不错。何芊扯了扯针织衫的领口，有点紧。她想到自己会和他哼唱同一段旋律，然后告诉他，那天她多么担心他答题时掉下去，和他讲起那个咖啡馆的梦（省去暧昧的成分）。最最重要的是，让他知道他拯救过一个人，曾经把她从深渊里拉上来，如果以后他站在深渊前面，她也会拼尽全力去拉他，哪怕他没了名气。想到这儿，何芊眼前黑魆魆的人影多了一重，冬天的风真烦，吹得眼睛发酸。

# 九

"不好意思，刚刚有几个粉丝冲到楼上，被我们的保镖拦下来了，估计是暴露了，恐怕得换个地点采访。"Abby 边说边拨通手机，眉头紧锁，看起来形势相当严峻。"没关系，你们先定地点，我和何小姐现在赶过去，别让艺人等。"七点半，约定的采访时间已过去一小时。晚高峰的车流将奇盛大厦前的街道堵得水泄不通。红黄交织的灯火里，何芊突然急切地想回家，不知道彤彤会不会哭闹，不知道周盈盈的孩子会不会欺负她。

半小时过去，易军没能拦下一辆出租车，只有一位残疾人开着电动车停在他们面前："走不走？十块一位！"车子包着塑料布防寒，后座很窄，拍摄器材占了半块地，两个人勉强坐下，一条腿靠在另一个人的腿上，压得半截身子酥麻。一路颠簸，停在灯火通明的豪华酒店门口。酒店侍者往这边望一眼，没动。

"Abby 发信息来说艺人得先吃晚饭，我们到酒店大堂等吧。"

每天这个时候，何芊早已哄睡彤彤，自己也跟着睡下了。困意袭来，酒店里明晃晃的光照得人眼睛干涩。许久不穿高跟鞋，两条腿不太适应长途跋涉带来的酸痛，一路消耗的能量让她有些饥饿和暴躁。更致命的是胀奶，丝丝缕缕的胀痛感从乳房往小腹蔓延，让她直不起腰。

"何小姐，打光。"

何芊强打精神，走到墙角的设备前，笨拙地摘下黑色保护罩，在众人的注视下歪歪斜斜地将三脚架架在酒店走廊的地毯上，像打伞那样撑起打光罩，却不知道往哪里摆。易军朝她使了使眼色，她一路小跑到楼梯对面，费力地蹲下身。

就在她面前不到两米的地方——那人孤僻地坐在灯光中央，

和周围十几号人隔绝开来，没人同他说话，他也不和谁交流，只是自顾自地低头念叨着什么。可能是一首新歌，何芊猜。他会看到我吗？何芊不自然地眨着被睫毛膏糊住的眼睛。在他眼里，我会不会是个身体发福、妆发滑稽的中年女人？楼梯上方，五名穿黑衣的保镖站成一排，双手架在胸前，气势汹汹，目不转睛地盯着走廊里的一举一动。何芊感到自己正曝露在烈日炙烤的荒野，喉咙发干，浑身被什么东西一层层撕裂，强光照得她额头和脖子后面冷汗直流，像一只只小虫沿着脊背爬下。

"换个姿势。"珂尔面无表情，只是顺从地将脚踏在一级台阶上，像受人操控的木偶，毫无生气。身后一阵响动。五名保镖围住一个女孩，连说："删掉。"女孩掏出手机，快要哭出来："我自己留作纪念，不传到网上。""删掉。现在就删。这里不能拍照。"何芊望向珂尔，他依然是面无表情。她感觉自己就是那个姑娘，这三脚猫的伪装伎俩早早就暴露了。她想逃，一刻也待不了了。

接下来的采访更像是一场噩梦。Abby站在珂尔身后，手里举着事先写好的纸条："换问题""不能问""倒数第二个问题""最后一个问题"。不知是因为累，还是太紧张，珂尔的回答中规中矩，语气像是背书一样，时不时瞥一眼Abby，仿佛两人在共同保守一个天大的秘密，而易军和何芊都像是意外闯入的强盗。

"没问出什么吧？"走到门外，一直过了两条街，何芊才敢开口。

"拍到、采到就算成功，别指望能问出什么。艺人说他乐意说的，演他乐意演的，我们听我们乐意听的，读者读他们乐意读的，这是一场盛大的表演。"易军看上去一脸轻松。

"你说珂尔算不算娱乐圈的一股清流？"背后的汗在夜风里有点凉，何芊哆嗦了一下，半开玩笑似的说。

"清流？别逗了！这里哪有清流！你听说过他拍戏不用替身摔断腿的事儿吧？圈内人都知道，那是为博眼球造的势，假的。采访话不多，一个字一个字吐，假的，他背地里就是个话痨。和女星上综艺，台本都是事先编好的。顺便说一句，那个女星曾经瞧不上他，据说之前有什么过节，还差点和经纪公司开撕。但人家红，为了蹭热度，有啥办法？"易军点着一根烟，对着寒风猛吸上一口，"明星是什么？再有脾气、有心气的明星，都是资源的提线木偶。我们这群人呢，无非就是那么几根透明的线，提得好，折腾得勤，这场戏就好看；提得不好，就没人看。Welcome to the real world（欢迎来到真实的世界）！"

## 十

走到小区楼下，何芊迟迟没上楼。她将手提包里的老物件一件件拿出来，捧在怀里，走到单元楼后面的垃圾箱，停留片刻，又一件件放回包里。

他是谁已经不重要了，是吧？

"对了，他早年那点穷酸经历，都是团队给拼凑的。他哪儿打过工啊，什么被星探意外发掘，他舅舅是某传媒集团的董事长，他能缺钱？他能去刷盘子？早年不红，那是他得罪了人，被雪藏了。什么北漂时被女孩甩，都是他甩别人，我怎么知道？那女孩是我大学同学的好朋友，被他伤的哟。他人渣？比他渣的人多了去了，照样不是唱着伤心情歌，赚得盆满钵满。所以说现在的小年轻，个个自作聪明，以为自己看到的听到的就是全世界了。你说他们傻不傻？"易军拍了拍她的肩膀，"不是在说你，我知道你是理智的。喜欢一个人没有什么不好。"

夜里十点半，月亮被乌云遮住大半。何芊站在空无一人的院子里，完全忘了彤彤，也忘了提前归家的丈夫，当然也没能撞见抱着孩子早早赶来的周盈盈。

她还欠她一顿饭。

2018 年 5 月完稿

死亡峡谷

时隔多年，当宋小余第一次经历不那么完美的性爱之后，才隐约回忆起父母之间的异常。

那晚，他们住进离死亡峡谷不远的小木屋，壁炉里的火还没有燃尽，昏暗的灯光把整个房间染成落日般的金黄色。那场景让她不禁回想起帕慕克《纯真博物馆》中芙颂的小公寓，地板的纹理和缝隙、沙发的褶皱、窗台上尚未消退的晚露，无一不写满性暗示。他们在沙发上像动物一样发泄着情欲。临近结束，她听见他痛苦地大叫：我想让你死！你去死吧！她扭头看见他在灯影里狠狠盯着自己，面孔狰狞，抽搐着身体。宋小余躲进被子，等鼾声响起，她忽地回忆起他曾对她说，他梦想中的葬身之地，是一片寂静无人的峡谷。


宋小余和陈沉在露营途中相识，把第一个吻留在了山脚下的溪水边。那天，清澈的溪水荡过两人脚下的石缝，如风铃跳跃在风中。当陈沉的脸向她慢慢靠近，她感到脚下的岩石开始松动，她仿若霎时间赤身裸体，在大自然的庇护下尽情坠落。当他牵过她的手，将她带离那里，宋小余才觉察到羞赧如潮水，将她层层叠叠地淹没。从小，"女孩子要矜持"几个字像一道魔咒挂在母亲冯好静的嘴边。她从未对此质疑过。自那次"坠落"之后，她几次想当面向陈沉解释清楚，在心里预演数次后却终于放弃。

当冯好静照例在电话里旁敲侧击，询问她的感情状况时，宋小余都是矢口否认。她像对待自己的初潮一般，既渴望细心呵护又手足无措，唯一能做的是在众人面前守口如瓶。否认之后，她将电话轻轻放在床边，打开电脑调成静音，盯着字幕，继续看剧。电话那头，传来冯好静嘹亮的嗓音：爱情啊，就像买彩票，运气比努力重要，一旦中奖了，也不意味着一劳永逸。

有那么一两次，宋小余想打断母亲，既然不能一劳永逸，那你说怎么办才好？但这无疑会暴露自己，于是只能摇摇头，继续看剧。没能问出口的，恰恰是那一吻之后发生的——宋小余和陈沉自那之后没能如愿被爱情波及，而是分别返回各自的生活中，再无波澜。

在随身携带的旅行日记中，宋小余曾将陈沉描摹成一个完美的男人，顾家、骨子里的冒险主义、男子气概、怜香惜玉。重点是，他体力丰沛，足以稳稳地把她背在身后翻山越岭。她当然也知道，他在两人共同好友的描述中劣迹斑斑，擅长不知疲倦地从一个怀抱来到另一个，用同样功力十足的吻骗到女孩，再装作无事发生，趁人不备偷偷甩掉对方。陈沉需要的是征服的快感、被需要的自恋，而宋小余更享受自我牺牲的受虐感。两全其美。

唯一可惜的是，她独独贪恋天长地久。

陈沉曾在宋小余险些跌落悬崖的时刻一把攥住她。那双粗壮有力的大手，将她多年来萦绕不绝的梦安抚得服服帖帖。有时，她错觉自己就在那双手里生活，叹息，哭泣，浅眠；有时，真从梦境里醒来，她又分明记得那双手应该是父亲宋江涛的。小时候，她曾将自己的小手放在其中，看着它慢慢攥紧，安稳感从颈后升到头顶，一阵酥麻如电流般遍布全身。自从她长大成人，慢慢疏远父亲，这种感受早已寡淡如水。

那双大手的温存，母亲冯好静是给不了的，后者只有一刻不停的教育和念叨。宋小余知道，那也是爱，于是照单全收不嫌腻烦。她渐渐学会从父亲那里获取肌肤的接触和安稳感，从母亲那里获取价值观和习惯。两者并行不悖，互不干扰，竟也让她舒舒坦坦地度过了整个童年和少年。

和上述两种爱都不同，和陈沉的爱，是一场接连一场的疯狂旅行。

开一辆红色越野车，在某个微寒的冬日，到荒漠尽头一处乱石岗上，看横无际涯的远山、一路绵延而去的仙人掌。手脚并用攀上几近垂直的崖壁，站在山巅和稀云的交叠处，看落日一寸一寸滑下天际。驱车到郊区的水库，衣服留在岸边的草丛里，身后绑着自制的气球，背后背上一筐网兜，一路划水到水库中央，一个猛子扎下去，从浑浊的水里捞上几条大鱼。无人问津的丛林中，在一块开阔的地上搭起帐篷，两人来不及说话，就枕着漫天繁星恬然入梦。

旅途中，除非有必要，两人很少说话。陈沉负责指路和体力活，时刻盯着手里的地图和指南针，在林中捡拾树枝，攀岩时固定绳索。宋小余则负责搜寻鱼虾，生火烤鱼，理好帐篷里的睡袋。两人各司其职，任何多余的表达都因为体力透支消磨殆尽。

每每踏上新的征途，宋小余又仿佛蜷伏在那双大手里，静谧而安稳。陈沉的眼睛也褪去灰蒙蒙的雾霭，透出久违的光。行程结束，回到租住的房子，面对冷锅冷灶和冰箱里腐坏的食物，两个曾共同征服山丘和荒漠、涉过险滩、渡过江河、睡过雨林的人，第一次在生活里短兵相接，反而不知所措。

他几次想逃，可她偏不许，以死要挟。这或许是他想杀死她的原因——彻底逃离。


除了冒险和旅行，两个人几乎没有一点共同点。

她专爱研究各种食材的搭配、点心的烘焙，喜欢端上一桌色泽诱人、丰盛可口的菜肴，偷瞄对方嚅动的唇，静静等待夸赞。他却因为小时候一次鼻腔手术，嗅觉极弱，连带着味觉也几乎零星不剩。再好吃的饭菜，于他也不过是填饱肚子。

她更喜欢独处，沉潜入曲折幽暗的内心世界，一点一点挖出那些稀奇古怪的想法，反复咀嚼。而他偏爱呼朋引伴，找来一大群朋友喝酒闲谈，酒席迟迟不散，她边赔笑边盯着餐桌上方的钟表指针，既对时间怀有敌意，又渴望被时间救赎。等到众人散去，他一头扎到床上，鼾声四起，留她一人在厨房里对付杯盘狼藉。

她爱做梦，也爱和人分享梦境。每次她一开口，他便打起哈欠。他不能理解，为什么梦中的自己出了轨，他却要在现实中受到她情感上的压迫，替梦里的自己背锅。他更热衷于谈论照相机的型号、游戏里的角色。她不懂，为什么他对自己毫不关心，甚至不去追问：梦中的那双大手究竟是谁的？

她相信天长地久，他反驳说那不过是糊弄人的把戏。他相信一见钟情，她说那不过是自我麻痹、自我欺骗。她会为某一部剧的某一个桥段痛哭失声，他却冷眼看她，像看一个不理解的笑话。她见他沉浸在游戏角色里，企图引诱他回到现实，却遭到他的呵斥。那是真的，他说。那也是真的，她争辩。

最初，他们在纠缠不清的藤蔓之间费力摸索，想要找到同一根。因为宋小余坚信，自己的父母已经找到了那根藤蔓，他们可以，她和陈沉一定也可以。她从未问过他们是何时找到的，又是怎样找到的。


她所记得的，无非是他们不曾当着她的面争吵，从未像大部分夫妻那样为一件小事产生龃龉，更没有大打出手过。他们都在用生命爱她，想给她最好的。照相时，她被抱到中间，一边是爸爸，一边是妈妈。睡觉时，她就趴在两人之间，同时拥有两个人的爱。吃饭时，她上桌的那一刻，他们才肯停下手里的活，从厨房钻出来。宋小余从未意识到，其实他们不曾在她面前表达过爱意。他们的和谐和互不叨扰，在她看来是心有灵犀、相濡以沫，实际上更像钟的上下摆锤，以她为轴随岁月流转，悠悠地摆动，却避免对视、质询与产生交集。

成年后的宋小余离开了那个"和谐"的家。她原以为冯好静和宋江涛终于可以抛开自己，享受二人世界了。后来她接到母亲冯好静的电话，听到她哭诉自己如何孤独，小时候铸造的美梦才轰然倒塌。宋小余自以为站在"正义"一方，打电话向父亲宋江涛质问，他异常平静地说：我从来没爱过她。

父亲没有错，母亲也没有错。两个人却错了。她想纠正这一点，分别跑去好言相劝。父亲咬着牙对她说：别劝了，就不该娶她，随便找个人都比她强百倍。

母亲逞强，咬咬牙说：婚姻就这样，跟了谁就是谁了，后悔也没辙。

宋小余哭了。

为谁而哭呢？她回忆起过去的种种细节，事实像八月毒辣的太阳，她每个毛孔都晒得滚烫，留下一道道猩红色的伤疤。越忙于掩盖，伤疤就烙得越深。他们的摆钟没了轴，再也没有动过一丝一毫。

宋小余恍然大悟，原来自己就是那根藤蔓。

他们死死抓住自己，就等于抓住了悬于陡崖的婚姻。她离开后，两人再也找不到那根藤蔓了，婚姻便向无尽的深渊坠落。

那之后，冯好静再也没有和她讲过"爱情彩票论"。宋小余问她：你爱他吗？得到的答案是：我心疼他。从什么时候开始，爱变成了心疼？心疼是不爱了，还是依然是爱的一种？她听着电话那端传来的冯好静的哭声，开始担心自己。


陈沉也觉得日子无趣。筵席散去的疲累时刻，四肢慵懒的清晨，难以入眠的夏夜，出租屋里尴尬对视的瞬间，他们暗自谋划着分开的事。宋小余想象着陈沉在面前说出那两个字，发觉自己并不惊慌，只是心情慢慢暗沉下去。

不如下周去一趟死亡峡谷吧。

陈沉把游戏的音量调小，从卧室伸出头。她停下手中洗了一半的碗筷，泪水夺眶而出，说不上是希望还是痛苦。

从靠近旧金山的小镇出发，一路向东南开去。途经一号公路，蔚蓝的大海在阳光下波光粼粼。海天相接处，不时有白鸥徜徉飞过。不宽的公路在山崖的一侧甩着大弯，车子呼啸着从对面一闪而过，沿曲折的山路向上盘行。转弯时，陈沉故意松开方向盘上的一只手，车轮向山崖偏移。他试探似的看一眼宋小余，宋小余紧盯着他的眼睛。她在笑。

两人的眼里都瞧不出慌张。毕竟他们的旅程从来都惊心动魄。年少时，他们都曾将在路途中死去当作奔向衰老的宣言。

那晚，在木屋里，她向他彻底敞开自己。在他向着她律动身体的时候，她脑子里不断浮现的东西和享乐及愉悦无关，更像是义无反顾的献身，回报自己在这段感情中的委曲求全，同时感念他那一次伸手援救。

这样就好了吧。他的汗滴在她的胸脯上、肩膀上、小腹上。她臆想自己是一个武士，对着空敞开阔的猎场披荆斩棘。他是猎物，在看不见的角落窥视着自己的蠢态，等待自己花光所有的力气。

大汗淋漓地结束之后，他朝她露出近似谄媚的微笑。她于是觉得自己得胜了，哪怕第二天他就要杀死她。

那一晚，宋小余梦见父母在朝她挥手，微笑，惊醒过来。他们难道就是像他俩这样偶遇，结合，然后生下她的吗？她竟如此麻木，在横亘在两人的罅隙中幸福地活了这么多年。

时隔多年，当她第一次经历不那么完美的性爱之后，才再次隐约回忆起父母之间的异常：他们从未在她面前表露过对彼此的感情，不管是牵手、亲吻，还是互相调侃。两个人就像舞台上相敬如宾的一对演员，年复一年演着对手戏，客气、友善，却毫无冲撞。

她回味起方才的律动，虽不完美，但至少和某种爱的讯号相关联。她挖掘着记忆，希望能从过去的细枝末节中找到父母之间的讯号，但一无所获。

他们生于五十年代，将时间倾注在与饥饿有关的记忆上，剩下的则用来配合向他们发出的指令。在宋小余的记忆里，他们总说：日子多好。他们理应是满足的，只不过这份满足诞生于青年时代的匮乏。他们都选择向前看，看得越远，心里越坦荡，睡眠越踏实。

最初，他们因为年龄恰好、人都还不坏被撮合到一起。可幸福的婚姻，光靠两个好人是不够的。

宋小余为他们感到遗憾。他们彩票上的号码早已固定，被塞到手里，便一辈子攥得紧紧的，直到字迹模糊。

陈沉翻了个身，一只手重重捶在她的胸口。

婚姻到底是什么呢？以前，宋小余天真地以为，婚姻就是灵与肉的彻底托付，彼此信赖、毫无保留的相互吸引。后来她才意识到，婚姻是平淡日子里两个人互相取暖，时而甜言蜜语安慰彼此，时而谎话连篇相互欺骗，像是行走在荒无人烟的冰原，偶尔遇到一个让人不那么绝望的对手，就死死抓住。

父母的一辈子，就是这么套牢在一起的。他们不争吵，也没有亲昵的动作，不是掩盖，只是厌倦。


第二天醒来已是中午，宋小余发现陈沉早就整理好他俩的背包，还在餐桌上留下两块可颂面包，一小罐植物黄油，一杯热好的牛奶。她迟疑地一点一点咀嚼为她准备的早午餐，食物里没有别的味道，不是毒药，不是现在。

坐进副驾驶的位置，宋小余一次次在脑海里预演自己的死相。他会选择以什么方式结果自己呢？绳索？刀片？塑料袋？中毒？坠崖？

她偷瞄一眼陈沉，他一反常态，一脸严肃地开车，时不时将右手搭在她腿上，在膝盖处用力摩挲，仿佛要将她皮肉下的骨头碾碎。看，他计划好了！什么浪漫小屋，什么完美性爱，什么峡谷之行，什么找回自我，全都是借口！

宋小余将水递给他，他吞咽时太阳穴上方青筋暴露，眼珠来回转动。导航上的蓝色圆点越接近那片峡谷，她心跳就越快，每一节手指都在颤抖。

车停在峡谷中间时，天色已暗。背后群山寂寥、鸦声阵阵，面前是一片在月色下闪着微光的盐湖，泛起的盐巴在脚底下打滚。宋小余抬头看一眼满天的繁星，想起他手机里存的漂亮女孩的照片、看后即删的暧昧聊天记录、撒谎时频繁眨动的眼睛。

她准备好了。

趁陈沉向盐湖深处走去，后背朝向她，宋小余果断掏出了兜里藏好的尖刀，他们曾用它削下木头的碎屑生火。她将刀鞘甩在地上，看准了他在黑夜里模糊的背影，还有那熟悉的后颈。必须一招致命，不然将毫无反击之力。她捏紧刀柄，不动声色地环顾四周，确认四下无人，踮起脚尖，悄悄从他身后包抄过去，盐巴在月色下泛起一道安静的灰尘。

就在她手臂高高扬起的刹那，他飞速转身，露出诡异的笑，单膝跪地，掏出一枚亮闪闪的钻戒。

还好收手及时，刀飞向身后一片骆驼刺丛中，无声无息。

陈沉朝她眨了眨眼，将那枚钻戒戴在她的无名指上。

惨淡的月光底下，他俩架起了三脚架。一道闪光，见证了这辉煌的时刻。

2018 年 9 月完稿

第九十九次婚礼

他们的婚礼停在了第九十九次。

时隔多年，林颂回想起那封诀别信，仍觉得前半生是一场梦。她的丈夫尤昊，一个大家口中的好人，从不会发脾气，连说话声都是轻的，居然只留下一封信就消失了。严格说来，那根本不叫信，只是一片纸，从饼干盒上硬扯下来的一角，用黑色水笔写上去，字迹时断时续，好像随时会停止，褐色的碎纸屑挂在边上。她盯着那片蜡黄的包装纸，一遍遍读，一遍遍揣测那些字符的含义。奇怪的是，不管是默读还是大声读，快读还是慢读，她都没有弄懂。

三天前，她刚完成一篇五个版面的大稿。她花了一个月时间，跟屁虫一样跟在那个明星身后。电影发布会上，从全国各地赶来的粉丝举着花花绿绿的灯牌，人群中发出嗡嗡的响声。拍摄杂志封面的摄影棚就像一个巨大的不真实的城堡，四处都是点头哈腰的年轻人，他们忙碌而聒噪，眼睛里涌出一种说不上来的欲望。还有电视台演出后挤在走廊里的记者，频繁闪烁的闪光灯把时间拖得老长，她感觉到的不是紧迫，而是慵懒，手里捏着录音笔，整个人恍惚起来。她不喜欢被人群包围的感觉，尤其不习惯随时随地保持警觉，好应付尴尬的对话。但她必须这么做。如果不按时交稿，五个版面开了天窗，不是罚钱那么简单，那个以报社为家的长脸女人会在她面前破口大骂，她会被直接辞退。重要的是，出过这种事故的记者再难被哪家媒体录用。圈子太小。和一群不拿正眼看自己的人共处将近一个月，还要省掉提纲里称不上是冒犯的问题，用温和的语调写出一篇虚伪的报道，而自己的名字只出现在偌大报纸的一角。她多希望可以用另外一个名字，比如王二狗、李二蛋，随便一个都比林颂好。当然也没人在意。这年头，除了闲着没事干的老年人，谁还看报纸呢？

她看见编辑拎着五张盖了红章的复印纸，放在签版员的桌面上，当即决定要回家开一瓶红酒，和丈夫好好庆祝一下。下班经过小区门口的花坛，她俯身揪下几根杂草，用手指肚碾成戒指样的环形，套在左手无名指上。

那一晚有什么异常吗？时隔多年，她拼命回忆每一个细节，从他进门将鞋子放进鞋柜，猫咪上前迎接他，他从冰箱里取出只剩下半瓶的红酒放在桌上。他和往常一样，从指根一点点退下结婚戒指，轻巧地挂在床头柜的饰品架上。他那天话不多，好像只提了句他爸妈如何不讲道理，不过只说了那么一嘴，连说了什么都记不清了（他抱怨爸妈不近人情也不是一两天了）。他们还特地从碗柜里取出高脚杯，在那间租了快八年的小屋里煞有介事地碰了杯。有时候，她疑心房东都把他们忘了，除了每隔半年就往一个户头打去四万块钱（从原先的六千块飙涨到现在的四万块）。她一度怀疑账户那头是不是有人收到钱，它们被用来做了什么，她不愿想象一切只是一个没有意义的数字，从一个人的手机发送到另一个人的。

他们刚认识那会儿，她是大学文学社远近闻名的笔杆子，他是摄影爱好者。他们同时出现的地点有点诡异，要么在敬老院一群咿咿呀呀的老人中间，要么在智障儿童学校的操场上，不然就是社区福利院和精神病院。她负责采访和写稿，他用相机拍照片，偶尔也拍下她。她偷藏在他的相机里快三年，直到毕业后的出国前夜，她点开了他频繁闪烁的QQ头像，看到了一连串他镜头里的自己。

这算什么呢？她记得当时自己嘟囔了这么一句，没有预想中的感动，只有被偷窥的不适。第二天，她登上了去纽约的飞机。

她不知道，屏幕那端的男孩收到她的一个笑脸，双手颤抖着哭起来，像是赢了巨额彩票。

"你从什么时候开始喜欢我的？"她记得那晚笑着问他。

他照例摇摇头，笑笑，说了一句烂俗的"Always"。他从未透露究竟是从什么时候开始的，正如她也不知道怎么就在一起这么久了。

那是他们的第九十九次婚礼。她把杂草做成的指环放在他手心里。

他们决定结婚时，刚从美国回国，一头扎进从前看不到的熙攘人群里。定居在这个热闹拥挤的城市，四处都是疾步行走的人，自己也跟着加快了脚步，像是急着要赶往什么地方。她进了一家小杂志社，每天从网上扒几篇不知出处的鸡汤文，粗粗编辑后交差，领每个月一千多块的薪水。他从一个大公司到另一个大公司，频繁跳槽，总也找不到自己的位置。"就像一颗被拧错地方的螺丝钉，"她记得他说，"使不上劲儿，越用力越错。"

两个人的薪水加起来勉强够得上一个月的房租，买一块面包都要算计。她从不逛商场，害怕店员热切的问候，或者不小心看中了哪件衣服。那个时候，他们和刚到这座大城市的无数年轻人一样，小心翼翼，野心勃勃，靠没有成本的轧马路消磨周末和长假，把领到的工资投入无底洞一样的房租当中。他们住最简陋的隔板间，和另外两个姑娘合租，为了抢占做饭的菜板和炉灶不得不追赶晚高峰的地铁。他们那时还有希望，想在这里立足，拥有自己的家。

"林颂，"在一群特地请来的朋友面前，尤昊郑重其事地说，"我会让你过得好，我们都会好起来。"他拿出一枚镶一颗小钻的戒指。她还记得他说"好起来"时绷紧了上嘴唇，仿佛可以顷刻间实现。她信了，哭了，笑了，说："我愿意。"

可他们太穷了。尤昊的爸爸前一年买的股票跌入谷底，林颂的妈妈被套进了理财骗局血本无归，留学花光了两个工薪家庭几乎全部的积蓄，准确地说是欠下了一笔要命的贷款。他们甚至没钱办一场像样的婚礼。那晚，她牢牢搂住他的肩膀，像安慰一个受了伤的小男孩。"我嫁给你，嫁的是你的人，不是房子不是车子不是钱。"他快要哭了，脸深埋进被子。她忙说："以后我们只要愿意，就办一次婚礼吧。只要碰到值得庆祝的事，高兴的事，不管什么时候，我们都在一起好好庆祝，只有你和我，就像一场婚礼那样，不带那群不熟的亲戚朋友。好不好？"

他从被子里抬起头，长吁一口气，像是终于得救了。

"用什么做婚礼的信物呢？"他捏着她睡衣上的褶子。

"就用戒指吧。"她看他愣了一秒，说，"什么材质的戒指都行，只要一个戒指。"

他们肩并肩躺下，彼此心里都明白：没举办婚礼，最重要的原因不是别的，是他那对无比挑剔的父母。


哪怕离家多年、长大成人，甚至成家之后，尤昊还是经常梦见那面暗黄色的镜子。镜子里的他瘦得颧骨高耸，嘴唇上方薄薄的黑色茸毛还没有剃掉，穿着天蓝色的校服，裤腿踩在运动鞋底下。他听见同学们在哄笑，像狂风里一波接一波的海浪，猛烈拍打着他窄窄的肩膀，直到他的嘴唇咬出血来。他背对着中学大堂高高的台阶，身后站着母亲——年轻时的母亲。拍他的不是什么海浪，是她在拼命敲着他的背。她的声音忽远忽近："你怎么搞的？怎么又不是前三名……还想不想上重点大学……想不想拥有一个好的人生？"他从睡梦中惊醒，脸上和耳窝里都是黏黏的泪水。

黑夜里，尤昊坐起来，钻过落地窗帘走到窗边，望着偶尔有车辆穿行而过的街道。一只蝙蝠从窗外飞过，像蝴蝶一样翻飞着黑色翅膀，发出似有似无的叫声。他记得，那面暗黄的镜子两侧是红色的光荣榜，每年高考过后，考上清华北大的学生就能把照片挂在上面。下课和放学后无数次经过那张榜，不论是真实还是梦里，他心里想的都是如果上面最终没有自己，那将是一场家庭灾难。简单地把罪过归咎于童年和辛苦生养他的父母太不公平，但他没办法忘记，每一次学校公布成绩就像一场赌博。他小心翼翼地将成绩单扣在桌上，闭眼翻过来，对折，用手遮住半面纸的边缘，一点一点向下搓，每看过一行，心跳就加速一次。回到家，他们说，没事，你努力了就好。但晚饭的饭桌上，没人再说一句话。他那一晚、接下来的若干个夜晚，都会懊恼地哭着睡过去。如果赶上寒假前的期末大考，他会紧张到一遍遍上厕所，甚至担心考试时尿到裤子里——前三名，皆大欢喜；前五名，气氛尴尬；五名开外，父母会逃避和亲戚的年夜饭，借口是昊昊不舒服。他没有不舒服，如果说有的话，就是不知道怎么弥补自己犯下的错。

当他嗫嚅着告诉他们，自己有了女朋友并且准备结婚时，电话那头传来父亲连绵不绝的咳嗽声，像是吞下了一枚硬币，让人窒息。他等待着。母亲说，发来照片看看。照片发过去，连简历也应要求发了去。片刻后，她回道：早点睡，别熬夜。这不是他想象中的人生。

当他听到她说，"以后我们只要愿意，就办一次婚礼吧"，他感到被释放了。他从和人合住的隔间里将一个个纸箱码进面包车，拉着林颂的手，后备厢盛装着他们全部的家当。车子在公路上飞驰，尽管只是奔向下一处出租屋，他依然感觉到一种快意江湖般的酣畅淋漓。

那是他们的第九十九次婚礼。他看见她放肆地笑着，红酒被喝得精光。他们拉开窗帘，在月光下彻夜做爱，像是最后一次那样。

不晓得为什么，他总是迟一步，迟一步认识她，迟一步飞到美国去，迟一步感受到她的快乐，迟一步理解她的痛苦。他努力了，可总是迟一步。他申请到洛杉矶 L 大学的生物系研究生时，她已经在纽约郊区的小公寓独自待了一年。每到圣诞节，学校放一个月的假，他会毫不犹豫地从网上买最早离开洛杉矶的廉价机票。红眼航班往往在夜里起飞，在清晨抵达中部的某个城市。然后等上几小时，换乘三个人一排座的小飞机，摇摇晃晃地飞到纽约。有时遇到航班延误，他便在机场的更衣室简单冲个凉水澡，换条干净内裤，在候机室的躺椅上小憩，啃几口书包里的压缩饼干，喝上几口能量饮料。他有时会恍神，不知道自己为什么在这乱糟糟的机场，在等哪一班飞机，要去哪一座不熟悉的城市。但他不在乎，只要想到她在等他，就足够开心了。

这个时节经常飘雪。她住的旧公寓总飘着一股奇异的香气。

他不能想象，她一个人是从哪里搞来了二手床垫，怎么扛来了一排木桌放那些文献资料，又是如何搭乘隔天一班的大巴车进城买菜的，她是如何和两个看上去很苛刻的女孩共处一室，还帮她们打扫卫生间里的碎头发、厨房抽油烟机的油渍的。这些他都无法想象，也没找到合适的机会开口问。

公寓后身是一片墓地，横穿墓地而过的河上有座石桥，站在石桥上，能看见河岸上的二三渔民在捕鱼，偶尔有受了伤的大雁冻死在岸边，绿头鸭踏着白色的激流向远处浮游而去。风大雪大的时候，盖了厚厚一层雪的草地上出现一团团的雪卷，远看像卷起的白色绒毛毯，让人感到一股奇特的温暖。而真正让他感到温暖的是她。他们没钱打车，一起站在路边等慢悠悠的巴士，错过一班要再等上一个钟头。买不起新鲜的有机蔬菜，就买最普通的廉价菜。坐不起飞机，就坐灰狗巴士游走各地，车厢里总有个弹吉他的白胡子老头，脚边放一个剩一半的塑料瓶盛装硬币。她写诗，他负责拍照。他们从附近的超市买最便宜的酒，喝醉了躺在汽车旅店的地毯上，闭着眼听见隔壁的聚会进行到深夜，音乐声和欢笑声不绝于耳，酒瓶摔在墙壁上。那一晚，他趁她不注意偷偷掉了眼泪，他不知道怎么配得上这样一个姑娘。

他总是迟一步。来到这座城市时，房价已涨到叫人不敢相信的地步，并将一直这么疯狂地涨下去。路过房屋中介时，他总是习惯性地停下来，隔着玻璃窗数价目表上的零，每数一遍，心情就跌落一次。他在各个大公司之间辗转，厚着脸皮和人谈自己的

"售价"，却永远扮演尴尬的小角色。

有一天，多年没联系的高中同学高木森拨通了他的电话，告诉他自己在做内容创业，简单说就是请人到录音室，讲某个主题，制作成音频，卖给需要的用户。"老尤你还真别说，现在大城市里的人都忙，哪有人有空读书，网络时代，电视都快嗝屁了，做这个，大老板啊开车的上班族啊，堵车的时候听听，保准赚。"能不能赚尤昊不知道，他知道的是，这个男人曾经把他从街头混混的拳头底下薅出来，救过他的小命。也因为他的鼓励，他才斗胆报了那所大学，才有机会认识林颂。

一周后，尤昊拎着旧电脑来到一处民宅，门上挂着不起眼的牌子：虎音FM。站在漆黑一团的走廊里，他使劲揉了揉眼睛：门口堆放着两大袋外卖餐盒，红油流到了走廊的地砖上，三五张老旧的木桌拼凑在屋子中央，除了两台笨重的台式机，再也找不到值得让贼偷走的物件了，电话里说的录音间也不过是一架缠满电线的麦克风。刚要转身离开，高木森突然出现在门口，一把将他拽了进去。"这是我好哥们儿！中学同学，靠谱青年尤昊。"三个人抬起头，一脸诧异。尤昊不自在地搓了搓手，林颂特地买来的这身西装和周围格格不入。

虽然颇为失落，但还算是个新的开始。比起人事冗杂、程序繁琐的大公司，这里好歹是自由的，没有固定的上班时间，不需要走复杂的请假和报销流程，没有让人昏昏欲睡的会议和领导讲话，不用费心思讨好任何人。立在墙上的白板上，写满他们随时随地头脑风暴的新点子。从市场前期调研、产品设计，到设计logo、网站编程，从请人、定主题，到市场推广，尤昊都卖力去做。他像一只不停旋转的陀螺，分不清这么做是为了报答，还是为了证明自己选择对了。日后他和林颂谈起那段意气风发的创业时光，反复说起的不是彻夜难眠、屡屡碰壁、万念俱灰，而是说多亏当初从死气沉沉的公司辞了职，还有高木森真够哥们儿。

林颂不懂创业的事，看不懂他写的代码，无暇过问他到底经历了什么。她那时刚到一家大牌报社做文娱部记者，每天都在为采访和写稿子焦虑，要和各路娱乐公司、明星经纪人周旋。在朋友眼里，三十刚出头的林颂是一只脚踏进娱乐圈的人生赢家，她与他们够不着的明星的合影足以证明这一点。只有她自己清楚，和一群大学刚毕业的"年轻人"共事，她不得不故作成熟，抵抗年龄附加在身体和精神上的焦灼和无力。她懂得在采访三四十岁的男明星时，如何化恰到好处的妆，用纸巾将口红擦淡，领口低到适当的高度，进屋前取下结婚戒指。采访初出茅庐的二十岁男明星则要扮演知心姐姐，好让他一并倾吐成名的苦闷、成长的忧愁。采访女明星，穿搭更得有讲究，不能争奇斗艳，攻击性过强，又不能太朴素，白降身价。她需要在极短的时间内获取信任，并争取到平等对话的权利。那群叽叽喳喳的小姑娘是不懂这些的。她也从未和任何人谈起。

她照顾所有人的情绪，领导的、同事的、明星的、经纪人的，像行走在山崖之间的高空走钢丝表演者，唯独忘了站在山崖那端的孤零零的尤昊。当然，这也是她在他失踪之后领悟到的。他创业的那些年，表现得太正常了，太平稳了。如果说有什么异常的话，她记得有几次半夜醒来，隐约看见他一个人站在窗边。

他失踪了。

手机关机，所有社交网站都不再更新，公司的人找不见他，干脆招了新的人顶替（公司是他一手带大的，几十号人要养活，谁也顾不上谁）。他也没回老家，林颂急火火打电话过去，尤母是一贯的冷漠语调："他啊，成事不足败事有余，早和他说了那家公司不靠谱。准是惹上了什么麻烦。"她哭着从柜子里翻出木盒，打开，九十九枚戒指密密麻麻地堆叠在一起。镶小钻的银戒指已经生了锈，变成废铁样的黄褐色——他向她求婚时的。镶贝壳的——去海南度蜜月时的。红绳编的——他找到第一份工作时的。口香糖纸折的——她在报社跳级晋升，一个月多拿两千块钱的薪水时的。易拉罐的拉环——他们从没有窗户的地下室搬到现在的房子，有了一个窄小的客厅时的。猫抓柱上的一根细草绳——他们领养两个月大的美短小母猫糖糖时的。

那天他们走了很远的路，端着笼子把糖糖放在客厅里，它太小了，像一团毛线球，不敢放它出来，它在笼子里叫了整整一夜。两个人睡不着，靠在床头闲聊。"你说，我们能做称职的父母吗？"她惊讶于他的措辞是"父母"，不是"主人"。他深深叹了口气，清了清嗓子："不是所有人都适合做父母。意识到自己不适合，就不去做的人太少了。或者这么说，意识到自己不适合，就谨言慎行、自我反思的父母太少了，所以才有这么多不幸福的小孩。"话题太严肃了，她想。也许这才是他们一直没要孩子的原因。他害怕看见自己童年的影子，站在镜子前浑身哆嗦的小男孩，最后变成身后大声责骂的父亲。

林颂不相信一个大活人会消失得无影无踪。

从手机通讯录里翻找号码的时候，她才意识到自己从未保存过任何他朋友的电话。她点开手机上每个 APP，试图从中寻找他登录的痕迹，或是无意中留下的地址或电话，结果竟一无所获。他太谨慎了，像是事先策划了一场秘密逃亡。林颂想到他每天挂在嘴边的高木森，一定是他把人藏起来了，她拨通了和丈夫唯一一个共同好友的电话，接电话的却是个陌生人。她在手机地图和网上搜索他公司的名字，却发现自己连他公司的注册名称都不清楚，只记住了一个无关紧要的简称，搜出来的也净是不靠谱的网吧、桌游、贴膜、直播的名字。她凭记忆找到了一处民宅，却不知道是哪个房间，敲开几扇门，遭了一番白眼，灰头土脸地离开了。

她跑到物业调小区的监控，偏偏当天下午的一个时段，单元门口的监控坏掉了。她看见他像往常一样，提着电脑包消失在电梯口，这才想起跑去派出所。执勤的警察说四十八小时内不能立案，这激怒了她。她拨通了报社社会新闻部一位同事的电话，对方的说法让她头皮发麻：类似这种离家出走的案子每天多到数不过来，只要不是恶意伤害，比如绑架，又是没人认识的人，是没有新闻价值的。"以前有个大明星被绑了，林姐你记得吧？当时要了两百万赎金，占了多少报纸版面？后来还被改编成了电影。林姐，遇见这种事谁都糟心，但你也知道咱们平时是怎么做选题的。请你理解。"她站在花坛旁边，笑了哭，哭了笑，猛然想起上大学时老师在课堂上说："狗咬人不是新闻，人咬狗才是。"一条狗经过，朝她的鞋撒了一泡尿。

林颂不想将丈夫的照片贴满电线杆和小区单元楼门口。只有宠物、失智的老人、跑丢的孩子才会这么找。一个无端丢了丈夫的女人，会被那群出来晒太阳的老太太怎么嚼舌根呢？


"成事不足败事有余。"

尤昊唯一一次和林颂吵架用的也是这句说辞。那天只有林颂在家，她下楼倒垃圾，随手带上的门开了，糖糖跑了出去。她请了假，在小区里失心疯一样地又跑又叫，全然不顾别人的目光。路上遇见一个女人在贴寻狗启事，她凑过去看，看见那人哭肿了眼。尤昊回家时，她已经从楼道的消防栓后面找回了糖糖。一向好脾气的他还是忍不住发了火。

一只猫、一条狗尚且如此，一个大活人丢了，竟无声无息。其实，她还做了很多事，例如跑到电台广播寻人，买下报纸角落豆腐块大的地方登寻人启事，去他常去的咖啡馆和店家闲聊，去他曾经的公司、他喜欢逛的数码产品商店找。

衣柜里几件过冬的棉服还在，游戏机里还有他玩过的关卡的存档，几只穿过的袜子搭在脚凳上，卫生间的男士洗面奶用了一半，拖鞋横放在门口的脚垫上。他买过的猫粮还囤了两箱。他种的柠檬树土已干裂，叶子掉落一地。厨房的咖啡机旁边还有他喝过留下的咖啡胶囊，冰箱里冻着他爱吃的薯条和牛肉丸。书架上的几本相册里夹着他们去过的景点门票和合照，牛皮纸袋里是刊登她写的报道的报纸，他每周从报刊亭买回来的。

后来，林颂从网上得知那家创业公司被责令查封整改，文章里说，这家公司曾遭遇短暂的债务危机，时间是尤昊失踪的前夕，她本可以找到写这篇文章的记者问个清楚，但她没有。她将床头柜上的结婚照收了起来，和原本就不认她的公婆彻底断了联系。她依然跟在璀璨耀眼的明星身边，每隔半年往那个户头打房租钱，遇见好事发生就攒一枚戒指放进木盒里。


时隔多年，想起这么一个人，林颂隐约记得的，是他们躺在汽车旅店的地毯上，闭着眼听见隔壁的聚会进行到深夜，音乐声和欢笑声不绝于耳，酒瓶摔在墙壁上。她听见他在小声啜泣，却不曾问他为什么。

那张泛黄的旧纸片上写的是："将近十年，我每天早上都会为你泡一壶热茶，放在床头，等你醒来。今天，我忘记了。而你好像也没有发觉，仿佛这件事从未发生过。"

2019 年 3 月完稿

## 后记　练习不宽恕

　　作为一个跌跌撞撞的写作者，我永远在不断否定着自己，也试过从这里逃离。

　　身陷文字的纠缠从来不是一件乐事，它像长在敏感皮肤上的一块癣，瘙痒，刺痛，不时提醒你它的存在，而除了将这多余的部分写出来，似乎并无良药。因此写作者往往不是比别人多了什么，而是少了什么，只能通过这种笨拙的方式聊以填补。

　　同时，尽管在经受刺痛的人是你，因无力填补抓耳挠腮的人是你，辗转反侧都找不到入睡姿势的人是你，你却必须将自己彻底隐藏，不让人察觉到这份日常的不安，以确信你笔下的人和事。这无疑是一场声势浩大的冒险。潦草带过不足以表达充分，而一旦沉溺过深，因笔下的情节忘乎所以，又动辄露出马脚，聪慧的读者一眼明了：看啊，那里有一只躲在幕布后面的人的脚。小说中隐匿的叙事者像极了站在舞台侧面幕布后的人，他们导演了舞台上的一出出悲喜，却不能轻易现身谢幕，哪怕只是不小心露出一只脚，否则一切徒劳。

问题的关键是哪怕经历过无数次徒劳，也换不回一次称心如意。练习隐身的过程如此艰难，让人不禁怀疑：那借由诗人之手写成的诗行，究竟是不是上帝的意志？如果是，我是否够格做一个工具、中介或传达旨意的人？如此，创作不单单是天赋、灵感、热情、真诚的简单叠加，并不能通过牺牲自我、袒露一颗真心就能一蹴而就。我从中体会过最卑微的无能为力。

即便深知规则，也未必能遵守。明知这里不好那里不对，在写作时也未必能克服。更遑论笔下的世界自有其原则，而你最多只是观望者，在一旁眼看着这世界的生命诞生、欢脱、冲撞、萎靡。

一直以来，我醉心于环境剧烈变动之下的渺小个体，试图将笔下的世界和日日经受的某种现实连接起来。不知是出于写作者不知天高地厚的义务，还是仅仅因为面对不知去向的生命轨迹时按捺不住的好奇，我迫切希望在现实以外的维度为现实找到答案，虽然自认这尝试如此浅薄、不明就里。处理和现实的关系这个命题太过宏大。周遭的现实一刻不停地疾速变动，由一己肉身感受到的不安激烈而混沌，难于不咎既往，更难追念未来。因而这一代的写作者大多双脚腾空，只能从单薄得可怜的生活经验中榨出点汁液。

年轻的写作者被迫从故乡连根拔起，远离了乡土的生活经验，闯入平淡的城市，没有开阔的自然景观作为故事的布景，只能反复写着架空的人物和琐事。我也常常因此感到无奈又挫败。

为此，我只有反复练习不宽恕。那些暗藏在微妙的眼神、抽动的嘴角、一声叹息之中的人性褶皱；期待而后放弃、拿起而后放下、抉择而后犹豫的微不足道的瞬间——那些时刻就散落在我们的庸常生活之中，不留意便烟消云散，或只被当作一桩好笑的陈年旧事。但如果捡拾起来，望向镜中，便能在破碎的幢幢人影之中看见自己。

为了在这繁杂错综的世事中活下去，我们更习惯于选择宽恕。宽恕愿望未曾实现，时间仓皇流逝；宽恕被轻视或无视，自我放逐；宽恕被打乱的生活节奏，被掩盖的遥远童年；宽恕自己成为无所事事、不知所终的成年人。于是变成一个好端端的好人，没有脾气也没有锐气，就这样一直生活下去。

而如果不宽恕呢？抓破那块恼人的癣，拉紧后台虚掩的幕布，在有限的时间里榨干最后一滴汁液，一遍遍望向镜子，问我是谁，又会生出些什么？

这部集子的文章大多写于二〇一五年至二〇一七年之间。这期间，我从美国加州的大农场回到国内，最终在北京暂时落脚，发现在这片奇幻的土地上，有什么东西正在生长。只需要在咖啡馆坐上一下午，就能听到几千万的电影投资项目、APP 创业计划、视频社交平台、母婴微信公众号、教育培训机构、共享经济……好像所有人都迫不及待加入狂热的队伍当中去，不管这队伍最终走向哪里。从年轻人到中年人，都在谈论房价、投资和理财，焦虑着哪怕并不存在的焦虑。

这期间，我一头扎进不知所终的人潮中，做过出版编辑、文化记者、节目策划，无论与哪种职业短兵相接，面对焦虑、疑惑、困境，都只能是绕身而过，而似乎只有文学，才是穿过困境乃至绝境的路径。当你投身其中的时候，会实实在在感受到自己正一步一步穿过狭长黑暗的隧道，向遥远的那一点点亮光，独自一人跌跌撞撞艰难地行进着。永远在不断否定自己，也试过从这里逃离，但最终还是选择继续走下去，甚至不为那一点光亮，就为行走本身。

如果这姿势可笑的跋涉能为你带去一点点安慰，甚或引发哪怕只有一瞬的共鸣，那就是我莫大的荣幸和幸福了。

**图书在版编目（CIP）数据**

我们的庸常生活 / 张畅著 . -- 北京：北京联合出
版公司 , 2021.8
  ISBN 978-7-5596-4832-7

  Ⅰ . ①我… Ⅱ . ①张… Ⅲ . ①短篇小说－小说集－中
国－当代 Ⅳ . ① I247.7

  中国版本图书馆 CIP 数据核字 (2020) 第 248537 号

**我们的庸常生活**

作　　者：张　畅
出 品 人：赵红仕
责任编辑：徐　樟
特邀编辑：翟明明　贺　静
营销编辑：何永刚
封面设计：韩　笑
内文排版：田小波

北京联合出版公司出版
（北京市西城区德外大街 83 号楼 9 层　 100088）
新经典发行有限公司发行
电话（010）68423599　邮箱 editor@readinglife.com
山东韵杰文化科技有限公司印刷　新华书店经销
字数 143 千字　880 毫米 ×1230 毫米　1/32　7.5 印张
2021 年 8 月第 1 版　2021 年 8 月第 1 次印刷
ISBN 978-7-5596-4832-7
定价：45.00 元